仲間に尽くすイヌ、
喪に服すゾウ、
フェアプレイ精神を貫くコヨーテ

動物たちの心の科学

The Emotional Lives of Animals

A Leading Scientist Explores Animal Joy, Sorrow, and Empathy—and Why They Matter

Marc Bekoff
マーク・ベコフ 著
高橋 洋 訳
Takahashi Hiroshi

青土社

動物たちの心の科学　目次

まえがき　ジェーン・グドール　009

はじめに　動物の情動という贈り物　017

第1章　動物の情動とその重要性　025

厚い皮膚と優しい心　028
肝心なこと　030
情動とは何か？　032
一次情動と二次情動　034
イヌは幸福なのであって「幸福」なのではない　037
動物が感じる能力を持つのなら、彼らは何を知っているのか？　042

動物と人間　045
パラダイムシフト　054
得た知識をどう活かせばよいのか　057
ジャスパーとパブロ　060

第2章　認知動物行動学　動物の心と感情の研究　065

認知動物行動学　067
チャールズ・ダーウィン　069
好奇心旺盛なナチュラリスト　073
類推の重要性　076
野外調査　078
おしっこ、うんち、毛、そしておなら　080

第3章　動物の感情　動物は何を感じているか　085

動物の感情を観察する　088
純然たる喜び　101
スタンダップ・コメディアン　107

チンパンジーと滝　112
悲しみ　115
愛情　126
きまりの悪さ　136
生存競争　138
自閉症のコヨーテや躁うつ病のオオカミはいるのだろうか?　144

第4章　野生の正義、共感、フェアプレイ　動物に名声を見出す　147

哲学的な問い　152
「公正」の定義　153
動物における道徳性　155
ジェロームとファード　157
遊びとは何か?　160
愉快、愉快、愉快　162
まずあいさつから　164
公正さは善きこと　169
悪評を買う　171
「大きな問い」　174

もう一つのパラダイムシフト　176
「普遍的な」道徳性は存在するのか？　180

第5章　難問　懐疑家への回答、および科学における不確実性への対処　183
ビルとレノ　188
仕事中に眠ったりはしない　191
ダライ・ラマは歓迎されない　194
科学者のカミングアウト　196
逸話　198
必然的な「罪」　200
擬人化における二枚舌　205
ミラーニューロン　209

第6章　倫理的な選択　いかに知識を実践に応用すべきか　215
予防原則　220
実験室では　223
畜産場では　238

動物園では　242
野生環境においては　253
私たちと彼らの共存、それとも私たちだけの繁栄？　256
個人の選択、責任　259

謝辞　265
訳者あとがき　269
著者について　xxviii
文献表　xx
註　iv
索引　i

カバー写真について

カバー写真はカモッツとモトモ。Copyright ⓒ 2002 by Jim and Jamie Dutcher (www.livingwithwolves.org)。カモッツは灰色オオカミの最上位雄で、モトモは中位の黒オオカミである。顔をなめることで、モトモはカモッツに服従と敬意を示している。この行動を通じて群れのメンバー間の絆が強化される。

動物たちの心の科学

仲間に尽くすイヌ、喪に服すゾウ、フェアプレイ精神を貫くコヨーテ

無数の犠牲動物のなかのとりわけ二頭、
自由と希望のスポークスベア、ジャスパーと、
チンパンジーCH‐377ことパブロに捧げる。

まえがき

この重要な本のまえがきを書けるのは、とても嬉しい。というのも本書は、動物について、また動物と私たちの関係について、正しい理解を得るためには必須のテーマである「動物の情動」を取り上げているからだ。私は子どもの頃、あらゆる動物に魅了された。動物を愛し、観察し、そして彼らから多くのことを学んだ。一〇歳になる頃には、とても知的な雑種犬ラスティと親密な関係を結び、彼は私のよき遊び相手になった。ラスティの他にも、三匹のネコ、二匹のモルモット、一匹のゴールデンハムスター、一羽のカナリア、二匹のカメと、わが家や心を共有していた私は、彼らから、相応に複雑な脳を持つ動物には、独自のはっきりとした性格と、ある種の思考力や、とりわけ感情を表現する能力を持つ心が備わっているということを知った。

一九六〇年には、タンザニアのゴンベ渓流国立公園で、チンパンジー研究のまたとない機会を得ることができた。科学的な方法論を何も知らなかった私は、とにかく見たものすべてを記録した。そこでは私の我慢強い性格が、功を奏した。というのも、チンパンジーは、自分たちのなわばりに突然出現した、人間という奇妙な白いサルを目にした途端、どこかに逃げ去ってしまうからだ。私は、最初に人間を恐れなくなったチンパンジーに、デイヴィッド・グレイビアードという名前をつけた。彼はとてもハンサムな成体のオスで、大きな目をし、目と目の間隔が広かった。穏やかながら断固とした性格を持ち、あとになってからわかったことだが、真のリーダーだった。デイヴィッドが落ち着いて私を受け入れてくれたので、群れの他のメンバーも、私が恐るべき生き物などではないと悟ったようだ。それから、彼らの多くは攻撃的になって、通常はヒョウや大きなヘビに向けて示す、一種の威嚇の姿勢を私に対して見せた。だが、やがて彼らはリラックスし、私は信頼を得るにつれ、彼らの世界に入り込むことを許された。もちろん、つねに彼らのしきたりに従いながらではあるが。そしてそこで、個性豊かなチンパンジーたちに出会った。デイヴィッドの親しい仲間ゴリアテは、最優位雄《アルファメイル》であることがやがてわかった。地位が高く独断的なフロと彼女の大家族、臆病なオリーと、彼女の娘で大胆なギルカ、怒りっぽいＪＢ、道化師役のジョメオ、そしてその他さまざまな面々が揃《そろ》っていた。

一年後、人類学者のルイス・リーキーが、動物行動学の博士号取得に向けてケンブリッジ大学で研究できるよう取り計らってくれた。そこで私は、科学的な方法論が欠けていることを、チンパンジーに番号ではなく名前をつけたことを、彼らに性格を「与えた」ことを、さらにはチンパンジーには心と情動があると主張したことを批判された。「それらは、人間という動物のために存在する属性だ」と、厳しく言い渡されたのだ。オスのチンパンジーを「彼（he）」、メスを「彼女（she）」

と呼んだことすら咎《とが》められた。「動物に言及する際には、〈それ（it）〉を使わねばならないということも知らなかったのか？」というわけだ。もちろん、ここでいう動物とは、人間以外の動物を指す。そういうわけで、私が観察によって得た成果のほとんどは、大学教育を受けたことがない世間知らずのお嬢様が書いた駄弁だと決めつけられた。しかし、私が師の故ルイス・S・B・リーキーの目に留まったのは、まさにこの資格の欠如と、野生の動物についてもっと知ろうとする私の情熱のゆえだった。彼は、一九六〇年代前半に流行していた、科学者の還元論的な思考様式によって心が偏向していない観察者を求めていた。実際、多くの哲学者や神学者とともに動物行動学者は、「性格、心、情動は人間にのみ認められる属性であり、人間以外の動物の行動は、そのほとんどが、環境的、もしくは社会的な刺激に対する反応にすぎない」と主張していた。

このような見方は、私にはとても受け入れられなかった。ラスティと過ごした日々や、チンパンジーとの新たな経験を通して知ったこととは、まるで逆だったからだ。幸運にも、私は論文指導担当教員に恵まれた。ロバート・ハインド教授だ。彼は、科学的な厳密さを求めることで知られ、あいまいな考えには我慢がならないたちだった。だがそれでも、研究対象のアカゲザルに名前をつけ、論文ではためらわずに「彼」「彼女」を用いてサルに言及した。私にとっては常識だが、動物行動学者のあいだでは革新的な考えを表明する際には、過剰な科学的な批判を浴びないような方法で表現すべきだと教えてくれたのもハインド教授だった。たとえば「フィフィは幸福だ」などとは言うべきではない。なぜなら、それを証明することはできないからだ。だが、「フィフィは、彼女が人間であると仮定した場合、〈彼女は幸福だ〉と私たちが言えるようなあり方で振る舞っている」なら構わないのだそうだ！

六〇年代後半になると、動物学者は次第に野外に出かけ始め、サル、ゾウ、クジラ、イルカ、オオカミなど、あらゆる種類の動物に関して長期的な研究を実施するようになる。そしてこれらの研究によって、動物の行動は、それまで西洋の科学が考えてきたものより、はるかに複雑であることが明確化される。問題解決能力を持つのは、あるいは愛情、憎しみ、喜び、悲しみ、恐れ、絶望を表現できるのは、何も人間だけではないことを示す説得的な証拠が集まり始めたのだ。人間だけが痛みや苦しみを感じているわけではないことは明らかである。言い換えると、人間とその他の動物のあいだを分かつ明確な区切りはない。境界はあいまいであり、研究が進めば進むほどより不明確になる。

残念ながら、動物は客体《オブジェクト》にすぎず、環境の刺激に対する反応によって活性化するにすぎないと、ほんとうに信じている人が、科学者にも、一般人にも、いまだ大勢いる。そしてこれらの人々は、意識的にせよ、無意識的にせよ、そうではないという議論を、はなからはねつける。結局のところ、痛みが伴う実験に供する、工場式畜産場で飼う、狩る、罠にかける、食べるなど、不快なことは、知力も感覚能力もある動物よりも、感情のない客体に対してするほうがたやすい。サル、イヌ、ブタは、おそらく人間同様に恐れを感じるのではないだろうか。どんな動物（人間も含む）でも、若い個体は、満ち足りて安全に感じているときには、じゃれたり、ふざけたり、くるくる回ったり、跳ねたり、とんぼ返りを打ったりと、似たような行動をとる。その様子を見れば、類似の感情を表現しているのではないなどとは、とても言えないはずだ。言い換えると、そんなとき彼らは、生きる喜びに満ち溢れている。つまり幸福なのだ。私は、母親が死んだ直後のチンパンジーの子どもが、悲しみに打ちひしがれ、うつ状態に陥った人間の子どもと同様、背を丸くしたり、体を揺すったり、どんよりとした目で一点を見つめていたり、周囲のできごとに無関心になったりするのを見たことがある。人間の子どもに悲しむ能力があるのなら、チンパンジーの子どもにもあるはずだ。ときには、悲しみに打ちひしがれて死ぬチンパンジーの孤児もいる。フリントとクリスタルがそうだった。

動物はセラピーや病気の治癒にも貢献する。このことは今日ますます明らかになりつつあり、それを支持するすぐれた科学的な証拠もある。血圧を下げ、囚人の反社会的な行動を減らし、読字の学習障害を持つ子どもを援助するのに、動物は重要な役割を果たす。独り暮らしの高齢者は、ネコやイヌと生活をともにすれば、孤独や無力感によるうつ状態に陥らずに済む。それは、単に動物が毛で覆われ、柔らかく、暖かいからというのではなく、人間に共感し、愛情をもって接し、私たちのニーズを理解しているように思われるからだ。つまり動物は、刺激と反応によって行動が引き起こされる客体などではまったくない。おもちゃの動物は、それがいかに巧妙に作られていようと、どんなに生き物らしく見えようと、実際に感覚と愛情を備えた生きた動物の代わりを務めることはできない。

動物、それもとりわけ複雑な脳を備えた群居性の動物は、豊かな情動的生活を送り、心的にも身体的にも苦痛を感じる能力を持つことを、人々がもっと理解するようになれば、それだけ早く、無数の動物が受けている不適切な扱いを改善できるはずだ。実際、ほとんどの人は、医薬品開発を目的とする実験室で何が起こっているかを知らない。また、工場式畜産場の悪臭を放つ不衛生な閉鎖空間で何十億頭もの動物が飼われていることを知らないし、知りたいとも思わない。さらには、サーカスやその他の娯楽で芸をさせるべく訓練する際に、動物がどれほど残酷な扱いを受けているかを理解していない。残念なことに、人間以外の動物は単なるものであるとするまちがった見方を(少なくとも専門家として)支持する科学者がいる限り、彼らの主張は、この種の非人間的な行動を許容する手段として用いられ続けるだろう。

それゆえ、マークが本書を著したことをたいへん嬉しく思う。彼は、これまでの研究生活を通じて同業者から絶えず受けてきた、ときに悪意のある批判にもめげず、人間以外の動物が持つ性格や情動についてたゆまず研究を続け、その成果を発表してきた。そして本書『動物たちの心の科学』で、自身の注意深い観察と結論によって豊かに肉づけしながら、人間以外の動物もさまざまな情動を備えていることを示す、今や続々と得られつつある科学的証拠を集め、提示している。「これらの情報が、あまねく知られ受け入れられるべきときがきたのだ」と、彼は強く主張する。チンパンジー、ゾウ、イヌ、あるいはその他の動物が、幸福、悲しみ、絶望、怒りを感じているのかどうかを問うことすら、今では時間の無駄になるだけだと言う。動物と有意義な関係を築いてきた人たちにとって、そんなことは問う必要すらないのだ。わかりきったことを証明するのに余分な時間を使うくらいなら、人間同様、動物も情動を表す能力を持つということを受け入れたうえで、本書のように、それとは別の、次のような問いを探求したほうが有益であろう。進化の過程のなかで、なぜ情動が生じたのだろうか？　それはどんな目的に役立つのか？

『動物たちの心の科学』は、地球上で私たちとともに暮らしている動物に対する、人類の態度を変えようとしている人々の大合唱に、もう一つの強力な声をつけ加える。注意深い科学的な方法論に直観と常識を組みあわせた本書は、理解がまったく欠如した劣悪な環境で飼われている動物の生活を、何とか改善しようと努力している人々にとって、すばらしいツールになるはずだ。本書を読んだ多くの読者が、動物の扱い方を再考するようになることを、私は切に望む。

――ジェーン・グドール　ＰｈＤ、ＤＢＥ
ジェーン・グドール研究所創設者
国連平和大使

はじめに　動物の情動という贈り物

「動物の情動」という魅力的な世界へようこそ。三〇年以上にわたって動物の情動と道徳を研究してきた科学者たる私は、とても幸運に恵まれてきたと思っている。私は自分の仕事に情熱を抱いている。動物について学ぶのは好きだし、自分や同僚が発見したことを他の人に伝えるのはとても楽しい。動物を観察したり、動物と何かをしたりするときはいつでも、科学に貢献していると同時に社会的な関係を結んでいると考えている。私にとって、これら二つの活動のあいだに対立が生じることは一切ない。

本書を開始するにあたり、「動物」という言葉に関して重要な指摘をしておこう。「動物の情動」を論ずる際、私たちはしばしば人間も動物だという事実を忘れている。とはいえ、私たちが一般に「動物」と呼んでいる生き物に言及するたびに、「人間以外の動物」などと書き記していると読みにくくなるので、本書では単に「動物」とした。したがって単に「動物」と記されている箇所は、実際には「人間以外の動物」を意味する。もちろん、私たち人間は皆動物であるという事実をしっかりと認識し、「動物」という表記が、この重要な事実を忘れ去らせてしまわないよう祈りながらのことではあるが。

動物の情動を研究する分野（認知動物行動学と呼ばれ、動物の心を研究する科学の一分野）は、過去三〇年のあいだに大きく変化した。私が研究を始めた頃は、科学者のほとんどは、イヌ、ネコ、チンパンジー、あるいはその他の動物が何かを感じているということを疑ってかかる懐疑家だった。もちろん感情は顕微鏡で観察などできないので、彼らのやり方では発見できるはずがなかった。しかも自分が彼らの実験台だったらと思うと……。だがありがたいことに、今日では懐疑家は次第に減ってきており、「動物は情動を備えているかどうか」という議論はいまだに続いてはいるものの、問いの中心は「動物の情動は、なぜ現在の形態へと進化したのか」というものへと変わりつつある。実際、動物は情動を持たないと主張する人のほうこそ、今やその証拠を示さなければならないくらい、状況は変わりつつあるのだ。私と同僚は、動物の内面を記述する際に、「満足している」「悲しい」などといった言葉をもはや括弧で括ったりはしない。私たちのイヌ、フィドが、怒ったり、驚いたりしているところが観察されたのなら、今や人間の情動を議論するときと同じ揺るぎなさをもって、そのとおりに記述することができる。科学雑誌も一般雑誌も、ラットの喜びやゾウの悲しみなどについてひんぱんに記事を掲載するようになったが、それに驚く人はもはや誰もいない。

現在では、動物の情動の存在を否定すれば、生物学として失格の烙印《らくいん》を押されるだろう。さまざまな動物が豊かで深い情動を経験しているという見方は、進化生物学、認知動物行動学、社会神経科学によって支持されている。数々の生物種において、情動は適応を通して進化し、個体間を結びつける社会的な接着剤として機能してきた。それはまた、仲間、つがいの相手、競争相手との社会的な関係を媒介したり規制したりし、動物がいろいろな局面でさまざまな行動パターンを駆使して、状況に柔軟に対応しながらわが身を守ることを可能にしている。

生物種間の相違は種類ではなく程度の差であるとする、進化の連続性に関するチャールズ・ダーウィンのよく知られた見方は、動物における情動、共感、道徳的行動の存在を強く支持する。実際この連続性があるからこそ、進化の過程を通して獲得された、感情などの特徴に光を当てるために、さまざまな生物種のあいだに「進化の線」を引くことができるのだ。動物の情動や共感について、ダーウィン以来私たちが学んできたことは、現在のさまざまな生物種の生存様式について私たちが知っていること、たとえば動物の社会的関係の複雑さについての理解とうまく合致する。情動、共感、そして善悪の区別は、生存のためには必須の能力であり、これらがなければ人間も動物もとっくに絶滅していたことだろう。それほどそれらは重要なのだ。

驚きはいつでもやって来る。すべてがわかったと思い始めたまさにその瞬間に、もう一度それまでの知識や紋切型《ステレオタイプ》を改めさせられる科学のデータや知見が新たに得られるのだ。たとえば、本書のゲラを受け取った直後のことだが、『ニュー・サイエンティスト』誌(二〇〇六年一二月二日号)を読んでいると、クジラの情動について書かれた記事が目に留まった。それによると、ザトウクジラ、ナガスクジラ、シャチ、マッコウクジラは、ヒトと同じ脳の領域に紡錘《ぼうすい》細胞を備えているのがわかったとのことだ。この脳領域は社会化、共感、他者の感情に対する直観、そして素早い本能的な反応に結びついている。かつては人類と大型類人猿のみが備えていると見なされていた紡錘細胞は、情動の処理に重要な役割を果たしていると考えられているが、クジラはその細胞をヒトより多く持っていることが判明したのだ。

ヒトを含め哺乳類は、感情の生起に重要な役割を果たす神経解剖学的構造と神経科学的経路を共有している。では、すべての動物は同じように感じているのだろうか？　マウスは共感能力を持つげっ歯類で、楽しむことが好きな動物であることを示した研究がある。また本書では、快楽を求めるイグアナ、ユーモアの感覚を備えたウマ、多情なクジラ、心のフラッシュバックや心的外傷後ストレス障害（PTSD）に悩まされるゾウ、死んだ仲間を前に弔いのいななきをあげるロバ、イライラするヒヒ、感覚能力を持つ魚、視力を失った仲間のために「目」として奉仕するイヌなどのストーリーを紹介する。

同じ生物種に属する個体同士なら、情動的な関係が築かれ維持されるであろうことは簡単に予測できるが、まったく違う生物種同士、しかも普段は捕食者とえじきの関係にあるはずの二個体間ですら、ありそうもない関係が実際に築かれるケースがある。たとえば、東京ムツゴロウ動物王国〔現在は閉園され北海道に移転している〕で、ハムスターのごはんとアオダイショウのアオちゃんが仲良くなったなどという例がある。

ヘビとハムスターが仲良くなれるのなら、ましてや人間と動物がなれないはずはない。というよりも私たちはいつもそうしている。だが両者の関係において、人間だけが一方的に何らかの情動を経験しているのではない。同様に動物の情動も、私たちを引きつけ、両者を結びつけているのだ。二〇〇六年八月に、カリフォルニア州サンタローザにある介助犬研究所（Assistance Dog Institute）で行なった一連の講義のなかで、おのおのが異なる障害を持つ大勢の身体障害者と、彼らの生命線たる介助犬とのやりとりを観察する機会があった。声と動作による細やかで示唆に富んだコミュニケーションを見ていると、両者のあいだには、互いに対する敬意と愛情に基づく強い社会的な絆が存在していることがはっきりとわかった。ヒトとイヌという二つの異なる生物が、「単なる訓練」の域をはるかに超えた半永久的な愛情を互いに対して示しているのだ。

私は「〈イヌは感情を持たない、喜びや悲しみを経験しない〉と考えている人はこのなかにいますか？」という聴衆への問いかけから講演を始めることが多い。もちろんときには、誰も自分のほうを見ていないことを確認するかのごとくきょろきょろしながら、自信がなさそうにゆっくりと手を挙げる聴講客が何人かいる場合もあるが、科学者の集まりにあってさえ、この質問に躊躇《ちゅうちょ》なく手を挙げる人はこれまでまったく見たことがない。ところが「イヌは感情を持っていると思っている人は手を挙げてください」と尋ねると、ほぼ全員が笑顔でうなずきながら勢いよく手を挙げる。イヌとの暮らしは、「動物は感情を持っている」ということをじかに体験することである。それを知るのに頭で考える必要はない。情動という鋳型《テンプレート》に基礎づけられた類推能力を駆使してイヌの行動をしっかりと観察すれば、そのことは確実にわかるはずだ。今日、科学者の大多数が、それ以外の人々が常識と考えているこの事実を受け入れるようになってきたのは、とても嬉しい。

同語反復になるが、動物の情動を認めることが重要な理由は、まさにそれが重要なものだからだ。動物は日常生活の浮き沈みを経験する能力を持つ、感覚能力を備えた生物であり、彼らとつきあう際にはこの点をしっかりと認識しておかなければならない。もちろん動物には、私たちがともに暮らし、気づかい、愛玩するペットばかりでなく、飼育場で育てられ、やがて私たちの食料や衣類になる無数の家畜も含まれる。さらには、ますます混みあいつつあるこの地球上で、何とか命脈を保とうとしている野生動物もいる。

動物と良好な関係を保つことは、ときに挫折を伴う難事であり、そのあり方は常時再吟味していくべきものだ。それには困難な課題がつきまとうが、私たちは知識や信念が実践と乖離《かいり》しないように注意しなければならない。私は動物に対して侵襲的な実験〔生体を傷つける必要のある実験〕を実施している研究者や、工場式畜産場〔工場のような機械技術を導入して効率を高めた家畜飼育場〕で作業をしている人々に、「それと同じことを自分のイヌにしますか?」と尋ねることがよくある。この問いかけに驚く人もいるが、このことは問われてしかるべきだ。自分のペットにはしないことを、マウス、ラット、サル、ブタ、ウシ、ゾウ、野良イヌ、野良ネコに対しては毎日しているのなら、その理由をとくと考えてみるべきだろう。

人間は好き勝手に環境を作り変えられる巨大な力を手にしている。そして毎日、無数の動物たちを殺しているのだ。だが今や私たちは、人間だけが感情を持つ生物なのではないことを知っている。

この知識があれば、敬意、感謝、共感、そして愛情をもって動物たちに接する大きな義務と責任が私たちにはあることがわかるだろう。動物に対してできることとできないことを議論するときに、あるいは動物たちのために行動を起こす際に、参照すべきは彼らの情動なのであり、それを理解することで私たちは、彼らのためにもっと何かができるはずだ。本書は、「動物とつきあうときには、私たちはもっと想像力を発揮しなければならない」という点を強調する、未来を見据えた希望の書であると考えている。

情動は私たちの祖先からの贈り物であり、人間も動物もそれを受け取っているのだ。このことを絶対に忘れないようにしよう。

第1章　動物の情動とその重要性

多くの動物は感情をあからさまに表現する。その様子をよく観察していると、外部に示された表現を通じて、その動物の心のなかで何が起きているかを知ることができる。[*1] 本書を読み進めるにしたがって明らかになるはずだが、綿密な科学的研究を通して、私たちが直観的に感じていること、すなわち「動物は感じる能力を持っている」「情動は、人間にとってと同様、動物にとっても重要なものである」ということが確証されつつある。

数年前、友人のロッドとコロラド州ボルダー近郊をサイクリングしていた折に、五羽のカササギが集まって興味深いことをしているところを目撃した。カササギはカラス科に属し、非常に賢い。明らかにそのうちの一羽が車にひかれたらしく、道端に死骸となって横たわっていた。他の四羽はそのまわりに集まっていた。一羽が近づいて、穏やかに死骸をつつき、一歩下がる。それはちょうど、一頭のゾウが仲間のゾウの死骸を鼻でつつく様子に似ていた。一羽はいったん飛び去ってから、草を持ち帰ってきて、死骸のそばに置く。もう一羽が同じことをする。それから四羽は、数秒間祈るようにじっと立っていたあと、一羽ずつ飛び去っていく。

四羽のカササギは、意図してこれらの行動をとっていたのだろうか？　彼らは、死んだ仲間にカササギ流の敬意を表していたのだろうか？　それともただ単に、仲間を気づかっているかに見えるあり方で行動していただけなのだろうか？　ただの自動機械《オートマトン》にすぎないのか？　私はそれぞれの問いに、自信をもって「イエス」「イエス」「ノー」「ノー」と答えられる。ロッドは、鳥たちが意図をもって行動する様子に驚いていた。「この行動は普通なのかね？」と尋ねられた私は、「こんな光景は見たことがないし、〈追悼の意を表するカササギ〉などという記事は読んだこともない」と答えた。彼らが何を感じ、何を考えているのかは私たちには知るよしもないが、その行動から判断すれば、死んだ仲間にカササギ流の別れを告げているのだと考えてはならない理由はないと思う。

私は三〇年以上にわたってさまざまな動物種を研究してきたが、出会ったそれぞれの個体からも多くを学び続けてきた。ボルダー郊外にある私の山荘の近くには、アカギツネが生息している。私がもの書きをしているところを、書斎のそばに座ってじっと見つめているアカギツネの目を凝視したり、子ギツネ同士が遊んでいるところや、メスがパートナーを埋めているところを観察したりしていると、丘の斜面の土地を私と分かちあうアカギツネたちは、どんな経験をしているのかを深く考えさせられる。また山荘の周囲には、コヨーテ、ピューマ、ヤマアラシ、アライグマ、アメリカグマ、鳥類、トカゲ類、そしてもちろんイヌやネコが住んでいる。これらの動物たちは、一年を通じて私の仲間であり教師であり続けてきた。

動物の情動について考え始めると、「昆虫はどうなのだろう?」と疑問に思わざるを得ない。蚊も情動的な生活を送っているのだろうか? もちろん蚊にはごく小さな脳しか備わっておらず、情動が進化するのに必要な神経器官が欠けている。よって蚊が情動の能力を持っているとは考えにくい。しかし現在のところ真実は不明であり、ある日それを知る方法が発見されるかもしれない。それよりも重要なのは、「それが真なら、私たちにとって何かが違ってくるのか?」という問いだ。私は「違ってくる」と考えている。もちろん、そのことは他の動物にも当てはまる。動物は感じる能力を持ち、喜び、悲しみ、嫉妬、怒りを表現するという点を理解できれば、私たちは動物たちと親密な関係を持てるようになり、また、実際に交流する際には、動物の視点からものごとを見られるようになるだろう。かくして動物の感情についての知識は、人間以外の仲間に対する私たちの見方やつきあい方を変えてくれるはずである。

厚い皮膚と優しい心
——ゾウのバビルと彼女の無二の親友たち

最近ケニアとタンザニアを旅行したが、そこで私は、これまで見てきたなかでももっとも驚嘆すべき動物、ゾウの世界に目を開かされた。近くから野生のゾウの大規模な群れを観察することで、彼らの堂々とした存在、気づき、情動を肌で感じることができた。野生のゾウをじかに体験することは、狭く不自然な空間のなかで、たいていは一頭で生きている動物園のゾウを観察するのとはまったく違う。このときのアフリカ訪問は、私にとっては刺激的で新鮮な、心を揺さぶる体験になった。

ケニア北部のサンブル国立保護区で野生のゾウの群れを観察していたとき、そのなかの一頭バビルがゆっくりと歩いているのに気づいた。バビルは怪我をしているらしく、仲間と同じ速さで歩けなかった。しかし仲間たちは彼女を置き去りにはせず待っていた。ガイドを務めていたゾウの専門家イアン・ダグラス＝ハミルトンによれば、彼らは何年間もそうしているとのことだった。しばらく歩いたあと、立ち止まって振り返りバビルの位置を確かめ、それによって自分たちは先に進むか、それとも待つかを決めるのだそうだ。メスリーダーは彼女に食物を与えることさえあると、イアンは教えてくれた。

なぜゾウたちはそのように振る舞うのだろうか？　彼らにとってバビルはほとんど何の役にもたたないのだから、彼女を助ける理由など何もないはずなのに。思いつく唯一の結論は、「他のゾウはバビルを気づかい、彼女が置き去りにならないよう行動を調整している」というものだ。

友好関係や共感は長く続く。バビルのケースは例外ではない。二〇〇六年一〇月、インド東部の小さな村で、一四頭のゾウの一団が、溝に落ちて溺れ死んだ仲間を探して、村を破壊しながら通り過ぎていった。[*2] すでに村人が一七歳のメスを埋葬したあとだったが、他のゾウたちが彼女を探して三日以上暴れ回ったために、何千人もが家を捨てて避難しなければならなかった。

肝心なこと

二〇〇六年九月、「肝心なこと（The Heart of the Matter）」と題する、動物福祉の会合が開かれた。科学者がついに「心（heart）」という言葉を使うようになったのは喜ぶべきことだ。それが肝心なことなのだから。

私は動物の情動を研究しているが、この研究を心から楽しんでいる。コヨーテ、オオカミ、イヌ、アデリーペンギン、テッポウウオ、キビタイシメ〔鳥の一種〕、ステラーカケスなど、これまでずいぶんたくさんの動物種を対象に、社会的な行動、社会組織、コミュニケーションの発達、プレイ、対捕食者行動、攻撃、親の行動、道徳などあらゆるテーマにとり組んできた。私にとって動物の情動は否定し得ないものであり、その証拠は、動物行動学、神経生物学、進化生物学の知見によって広く支持されている。

実際、動物の情動の研究は活発に行なわれており、科学の一分野として急速に発展している。現在では科学者、そして一般人のあいだでも、動物の情動に対する関心が高まっている。二〇〇五年の三月には、五〇か国以上からおよそ六〇〇人が、ＣＩＷＦ（Compassion in World Farming Trust）が主催する、ロンドンで開かれた画期的な会議に集まって、動物の感覚能力、意識、情動について多くのことを学んだ。また二〇〇六年一〇月には、畜産場と実験室における動物福祉の改善を検討する会議が、世界動物保護協会の手によってリオデジャネイロで開催されている。主催者はおよそ二〇〇人の参加を予想していたが、おもにブラジルとその周辺諸国からその倍が来場した。ロンドンとリオの会議の盛況ぶりは、動物の情動と真にとり組むべき時が到来したことを示している。

現在では、動物の情動や、動物と人間の複雑な関係をテーマとする記事が、『サイエンス』『ネイチャー』『エコロジーと進化のトレンド（*Trends in Ecology and Evolution*）』『米国科学アカデミー紀要』などの一流専門科学雑誌から、『ニューヨーク・タイムズ』『サイコロジー・トゥデイ』『サイエンティフィック・アメリカン』『タイム』『エコノミスト』、さらには『リーダーズ・ダイジェスト』に至るまで、さまざまな雑誌にひんぱんに掲載されるようになりつつある。また、動物の情動は、驚異的なヒットを飛ばした映画『皇帝ペンギン』（仏・二〇〇五年）のテーマでもある。二〇〇五年の夏に公開されたこのドキュメンタリー映画は、ペンギンの感情を感動的に描き、彼らが苦痛を経験し極度の困難に耐えながら卵と子どもをケアする様子を見せてくれる。

科学的証拠の増加と一般の理解の高まりにもかかわらず、少数になりつつはあれ、科学者のなかには動物の情動という考えに疑問を抱く者もいる。その存在さえ疑う者もおり、また、存在は認めても人間よりその程度は低いと考えている者は多い。私には、このような姿勢は時代遅れで、無責任にさえ思える。動物は情動能力を持つこと、それは人間にとっても重要であること、これらの知識は動物を扱う方法に必ずや影響を及ぼすであろうこと、これらのことを明らかにするのが本書の目的である。

動物の情動を議論するにあたって、私は、社会神経科学の最新の成果を織り込みつつ、動物行動の観察データと逸話（anecdotal stories）に焦点を置き、常識と科学データの結合（私はこれを科学感覚と呼ぶ）によって、動物における感情の存在を示す強力な証拠が得られることを実証する。本書はストーリーが大部分を占めるが、それを支持するために科学研究の成果も援用する。

では、動物は情動を持ち、その点を理解することが重要であるという点に同意したとしよう（大勢の人々がすでにそう考えている）。では、私たちは何をすべきなのか？ 倫理を考慮しなければならないのだ。自分の行動を振り返って、それが知識と信念に沿ったものなのかを検討しなければならない。科学はつねに倫理によって補完されるべきだと、私は強く感じる。私たちはつねに、知識と行動と思いやりを融合するよう努力しなければならない。それこそが肝心なことなのだ。

情動とは何か？

「情動とは何か？」という問いに答えるのは簡単ではない。私たちは普通、すぐに情動の現れを見分けられるが、定義するとなると困難を感じる。それは身体的なものだろうか？ それとも心的なものか？ あるいはその両方なのか？ 科学者として無難な言い方をすると、「情動とは行動の管理と制御《コントロール》を手助けする心的な現象である。それによって私たちは感情を表現し、行動する」というようなところになる。科学者は、身体の反応に対する「情動反応（emotional response）」と、思考から生じる「感情（feeling）」を区別する場合が多々ある。前者は、身体が特定の外部刺激に反応することをいう。たとえば車が迫って来るのを目にすれば、私たちは恐怖を感じ、心拍数、血圧、体温が上昇する。しかし実際には、恐怖の感情は、迫り来る車を目にしたことに反応して起こる生理的変化に脳が対処するまでは生じない。

一方の感情は、脳内でのみ生じる心的な現象をいう。あるできごとによって怒りや悲しみなどの情動が引き起こされても、振り返ってみるとそれとは違った印象を受ける場合がある。つまり情動は解釈され、感情としては違った気分として現れることがあるのだ。感情は、さまざまな社会的状況のもとで他者と関わるあり方に影響を及ぼしながら私たちを導いてくれる。

動物の情動を初めて系統的に研究した科学者でもあるチャールズ・ダーウィンは、怒り、幸福、悲しみ、嫌悪、恐れ、驚きという六つの普遍的な情動を識別している。[*3] そして、これらの主要な情動は、さまざまな状況に迅速に対応できるように、また、複雑な社会を渡っていけるように私たちを導いてくれるのだと主張する。以後、何人かの研究者が、情動の一覧にいくつかの項目を追加している。スチュアート・ウォルトンは、著書『人間の情動の自然史（*A Natural History of Human Emotions*）』で、嫉妬、軽蔑、恥、きまりの悪さを加えている。また神経科学者アントニオ・ダマシオは、『デカルトの誤り——情動、理性、人間の脳』で、社会的な情動には同情、罪悪感、誇り、羨望、称賛の念、憤りも含まれると述べている。誰も愛情に言及していないのは興味深い。

動物が情動能力を持つのなら、これらのどれを経験しているのだろうか？　動物は、人間にはない情動能力を持っているのか？　これはとても面白い問いだ。長年ゾウの研究を続けてきた動物行動学者ジョイス・プールは、「ゾウは私たちにはない情動を感じているし、その逆も真だと思うが、共通の情動も数多く経験していると考えている」と述べる[*4]。

プールの言葉が正しいのなら、動物は人間には理解できない情動をいくつか経験していると同時に、私たちが理解できるものも数多く経験していることになる。遊んでいるときや、仲間と再会できたときには、動物も人間も同様に幸福を感じるのではないだろうか？　動物は、仲間を失ったとき悲しみを感じないのか？　再会したオオカミ同士がゆるやかに円を描きながら尻尾を振りあい、うなったり飛び跳ねたりするとき、彼らは幸福を表現しているのではないだろうか？　互いの再開を祝福するように、二頭のゾウが耳をはためかせ、その場でぐるぐる回り、「あいさつのうなり（greeting rumble）」と呼ばれる声を発しているシーンについてはどうだろう？　同様に、仲間の死のあと群れを離れ、ふさぎ込んで何も食べなくなり、ときに自らも死んだりするときに動物が表現する情動を、悲しみと呼ばずして何と呼ぼうか？　確かにすべての動物は、種《しゅ》の相違を超えて、類似の核心的な情動を共有しているに違いない。

一次情動と二次情動

通常研究者は二種類の情動、すなわち一次情動と二次情動を区別する。一次情動は、生得的で基本的な情動と考えられている。それには、広く見出されるすばやい反射的な（「自動的な」、配線《ハードワイヤード》された）恐れや、危険を示す刺激に対する「闘争か逃走か反応（fight-or-flight response）」が含まれる。一次情動には意識的な思考は不要で、ダーウィンのあげる六つの普遍的な情動（怒り、幸福、悲しみ、嫌悪、恐れ、驚き）はこれに該当する。動物は、特定の何かを、それが反応を引き起こす原因になり得るという事実を認識する前にほとんど無意識的に避けるなど、一次的な恐怖反応を示す能力を持つ。大きな音、特定のにおい、頭上を飛ぶ物体などの刺激は、生得的で自動的な回避反応を引き起こす「危険」を示す信号であり得る。危険な刺激に直面したときには、誤りを犯す余地は、ほとんど、もしくはまったくない。したがって自然選択によって、個体の生存に必須の先天的な反応が形成されたのだ。

一次情動は、脳の進化的に古い領域である大脳辺縁系（とりわけ扁桃体）に配線《ワイヤード》されているが、この領域は、脳の「情動的な」部位と呼ばれている（一九五二年に神経学者ポール・マクリーンによって命名された）。大脳辺縁系や類似の情動回路は、多くの動物種に共有され、一次情動の神経基盤を提供している。マクリーンは、脳の三層構造説によって、原始的な爬虫《はちゅう》類脳（魚類、両生類、爬虫類、鳥類、哺乳類が持つ）、辺縁系の旧哺乳類脳（すべての哺乳類が持つ）、「合理的な」新皮質脳（霊長類、人類など少数の哺乳類が持つ）が一つの頭蓋《とうがい》のなかに詰め込まれていることを見て取った。それぞれの脳は、他の二つの脳領域に接続されているが、独自の機能も持つ。大脳辺縁系は多くの情動を司る脳の主要領域であるかに思われるが、最近の研究によって、必ずしもすべての情動が一つの領域で処理されるわけではなく、脳には情動システムが複数存在する可能性が示唆されている。

二次情動はより複雑であり、大脳皮質の高次の脳中枢が関わっている。恐れや怒りなどの基本的なものもあれば、後悔、願望、嫉妬のような、より繊細なものもある。二次情動は自動的に生じるのではなく、脳で処理される。人はそれについて考え、目下の状況ではどんな行動をとるのが最善かなどといった対策を講じられる。意識的な思考と二次情動は、一次情動を引き起こした状況への対応方法に影響を及ぼす。たとえば、何かが頭上を飛び去っていったときに思わず身をかがめても、それが影にすぎないことに気づけば、びくつくのをやめ、きまりの悪さを感じながらすばやく立ち上がり、何でもないふりをすることだろう。

情動を考慮に入れることは、最適な行動の評価選択を通して、絶えず変化する状況下での柔軟な対応を可能にする。誰かがあなたにしつこくつきまとってきたときには、その人物の性格や、あなたがどんな結果を恐れているかによって、逃げたほうがよい場合もあれば、そうするとかえって都合の悪い社会的状況を招くケースもある。ほとんどの情動反応は思考を必要とせず無意識下で生じるが、私たちは行動する前にまず考えるよう学習する。感情と行動を結びつけてくれる思考は、私たちの行動に変化と柔軟性をもたらし、社会的な状況に従って、つねに正しく振る舞うことを可能にする。かくして、生物が情動を備えていることは、感覚能力と気づきに至る重要なステップの一つなのである。

イヌは幸福なのであって「幸福」なのではない

イヌに仲間がたくさんいるのは、舌を振るうのではなく尻尾を振るからだ。
——無名の著者

そんな光景は誰でも見たことがあるのではないだろうか。私の友人が飼っている二頭の愛犬マディとミッキーは、ご主人たちが外出したときには、わが家に遊びにくる。嬉しそうに跳ね回り、息を切らし、ほえながらやって来る。激しく尻尾を振りながら向かって来るので、あたかもそうやって前に進んでいるかに見える。手当たり次第、誰とでも遊ぼうとする。自分の尻尾をつかもうとクルクル回り、立ち止まってからかいのポーズをとり、そして再び夢中で遊び始める。そんな二頭が楽しんでいないなどと、いったい誰が言えようか！

たいていの人は、三〇分ほどイヌと遊べば、動物が情動を持っていることを確信するはずだ。ノーベル賞に輝いた動物行動学者コンラート・ローレンツは、それに関してとても単純でありふれた例をあげ、散歩に出かけることを期待しているときには、イヌがあからさまに情動的になるのがわかると言う。彼は、著書『人イヌにあう』で次のように述べている。「主人は、名前も呼ばずボソッと〈連れて行こうかな〉と言う。すると愛犬は、その場で尻尾を振り、興奮して踊り出す。（……）〈やめようかな〉と言うと、期待でぴんと立った耳は悲しそうにしおれる。（……）〈やっぱり家に置いていこう〉と言うと、落胆した様子を見せてそっぽを向き、再び寝そべる」。[*5]

ありがたいことに、「動物は喜び、悲しみ、怒り、苦痛を感じているかのように振る舞っているだけである」などという懐疑的かつ軽蔑的なセリフは、今ではほとんど聞かれなくなった。仕事で何をしていようが、自宅やパーティーでも、自分のペットに情動を認めず、擬人化を何もしないような研究者を、私はまったく知らない。擬人化は恥ずべきことではない。アレクサンドラ・ホロウィッツ〔『犬から見た世界――その目で耳で鼻で感じていること』（竹内和世訳、白揚社、二〇一二年）の著者〕と話しあってきたことだが、[*6]また第5章でも触れるが、これらの科学者は、擬人化によって自然な心情を吐露しているのだ。擬人化は、進化の過程を通して獲得された知覚の戦略なのであり、私たちはそのように動物を見るよう自然選択によって形作られているのである。実際、現在では事実としてほぼ認められているところであるが、動物行動学と神経生物学の研究は、動物には一次情動が、すなわち私たちが恐れ、怒り、驚き、悲しみ、嫌悪、喜びと呼ぶ、外界に対して直観的に反応する能力が備わっているということを、これまで一貫して示してきた。

今や科学者は、人間と動物が類似の化学的、神経生物学的システムを備えていることを示す研究成果に基づいて、一次情動の普遍性を認めている。たとえば、人間の精神障害を対象とする薬剤の開発テストに動物がしばしば用いられており、最近の研究では、マウスは悲しみや内向性に関してすぐれたモデルになり得ることが示されている。[*7]マウスは他のマウスにおどされたり、絶えず支配されたりすると、引きこもり始めるが、このような意気消沈したマウスは、プロザックなどの人間向けの抗うつ薬に反応する。もう一つ例をあげると、自暴自棄になったラット（トキソプラズマ病にかかり、ネコに自殺願望的な興味を抱くようになったラット）には、抗精神病薬が効く場合がある。たとえば、統合失調症を抑制するために用いられているハロペリドールを与えると、ネコに対する異常な嗜好《しこう》が大きく減退する。獣医のニコラス・ドッドマンは、ネコやイヌの問題に関して、しつけとともにそれに類する医薬品を用いることを提案している。これらの医薬品に人間同様に反応するのなら、動物は人間のものに類似する情動の神経基盤と、おそらくは感情を備えていると考えてよいのではないだろうか。

科学的なデータや、さまざまな逸話が示すところでは、動物は二次情動も豊富に経験していると考えられる。ペットを飼っている人は、日常の交流を通してそのことをすでに知っているのではないだろうか。科学はこの「ありふれた知恵」の受け入れを渋っているが、これは予想されるところでもある。というのも、科学の重要な役割の一つは、直接的で主観的な経験を「客観的に」検証することだからだ。

共感や思いやりは、動物にも認められる重要な二次情動の一つである。重要だという理由は、それが他の個体に対する無私のケアを示すものだからだ。バビルと彼女をケアする仲間のことを思い出してみればよい。アラスカ州ホーマーに滞在していたとき、同州を流れるロシアン川の近くで、母親が射殺され孤児になった二頭のハイイログマの子に関する似たような話を聞いた。[*8] メスの子グマは、負傷したオスの子グマのそばを離れなかったのだそうだ。しかも負傷したほうの子グマは、足は引きずり、泳ぎは遅く、エサは自分で取れないという状態だったにもかかわらず。その様子を観察していた人の話では、「メスグマは外に出て魚を取り、引き返してきてオスグマに食べさせた」とのこと。若いメスグマは、明らかに負傷したオスグマをケアしていたのであり、後者にとって前者の助けは不可欠のものだったのだ。

また、インドのテズプルで、子ザルが車にひかれたあと、約一〇〇頭のアカゲザルの群れが交通を遮断したという話がある。[*9] サルの群れは、後肢を砕かれ動けずに道路に横たわっていた子ザルを取り囲み、車の通行を止めたのである。政府関係者の報告には、サルは怒りを露わにしていたとあり、地元の店主の話によれば「とても感動的な光景だった。(……)仲間のサルは子ザルの足をマッサージしていた。最後にサルたちは、負傷した子ザルを運び去っていった」のだそうだ。

ある古典的な研究では、食べ物を手に入れると仲間に電撃が加えられることを知った空腹のアカゲザルは、そうすることを控えた。[*10] またマウスの共感に関するもっと新しい科学的な研究がある。[*11] この研究では、成体マウスのペアの一方、または両方に酢酸を注射し、苦痛を引き起こした。それによって研究者は、パートナーが苦痛で身をよじるのを目にしたこれらげっ歯類の個体が、苦しみを分かちあう能力を持っているかどうかを確かめようとしたのだ。その結果、パートナーが苦しむ様子を見ていたマウスは、苦痛に対してより敏感になり、自身も酢酸を注射されると、パートナーが激しく身をよじればよじるほど、それだけ激しく身をよじった。マウスは、通常の社会的状況においては嗅覚を用いるのが普通だが、このケースでは視覚的な情報をもとに共感反応を示している。

本章冒頭のカササギの話でもわかるように、（マウスを含め）動物は共感能力を持っているのだ。つけ加えると、マウスの共感反応は、人間の共感と同じ脳の仕組みに仲介されている。

読者はすでにお気づきかもしれないが、この研究には問題がある。研究のために動物に苦痛を引き起こさなければならないのだろうか？　マウス（とラット）は現在のところ動物保護法の対象になっていないが、おそらくこれらの発見によって、いずれは侵襲的な実験に関して、イヌ、ネコ、霊長類に付与されているものと同じステータスに格上げされるだろう。第６章で述べるが、動物保護法は現状では適切とはとても言えない。しかしそれでも出発点にはなる。

この科学研究が発表されたあと、げっ歯類を含むさまざまな動物の共感について語る数々のストーリーを知った。[*12] 動物とともに暮らしている人は、そのような話に驚いたりはしない。インディアナ・コヨーテ救助センターを運営するセアン・ランバートは、私に次のような話をしてくれた。ある暑い夏の日の朝、彼女は二匹の生まれたばかりのマウスがガレージの下水溝にいるのを発見した。二匹は下水溝から出ようとしていたが、つるつるして急な斜面をよじ登れなかった。片方は弱っているようだった。セアンが何かのふたに水を注いで下水溝に置くと、すぐに元気なほうが飲みに来ようとした。その途中で、このマウスは食べ物の破片を見つけ、拾って仲間のところに運んでいった。それから、弱っているほうはそれにかじりつこうとする一方、元気なほうは、水のある方角へそれを動かしていった。こうして、両者とも水にありつくことができたのだ。そして、それに力を得た二匹は、セアンが置いた板を伝って下水溝の斜面をよじ登った。

このような例は他にもたくさんある。いずれにせよ、たとえ人間を含めた動物種間で情動の内容が正確には同一でなかったとしても、そのことは動物が感じる能力を持っていないことを意味するのではない。実際、二匹のマウスの例が示すように、動物の情動は「本能的な反応」に限定されるわけではなく、意識的な思考ともとれる能力を伴っている。

動物が感じる能力を持つのなら、彼らは何を知っているのか？
——動物には動物の秘密があるが、彼らの感情は外から見ることができる

現代の哲学者や科学者が、動物には心があるという見方を支持したがらないのは、動物の問題である以前に哲学や科学の問題だ。

——デイル・ジェイミソン「科学、知識、そして動物の心（*Science, Knowledge, and Animal Minds*）」[*13]

動物がほえ、うなり、ゴロゴロのどを鳴らし、くんくん、きゃんきゃん、ブウブウ鳴き、笑い声のような声を発するとき、何かが起こっているのであり、その声は私たちにも何らかの意味を持つはずだ。というのも、そこに表現されている感情は重要なものだからである。リン・シャープは、すばらしい著書『人間のような生物？（*Creatures Like Us?*）』で、「動物の興味と関心は、私たちの場

合と同程度に彼らにとって重要なのだ」と指摘している。尻尾はその動物が何を感じているかを教えてくれる。姿勢、足どり、表情、声、においも同様だ。私はときどき、尻尾や耳を使って何を感じどんなことを考えているかを表現力豊かに伝えてくれるイヌや他の動物たちと、もっと効率的にコミュニケーションが図れるよう、自分にも自由に動かせる尻尾や耳があればいいのにと思うことがある。動物が尻尾を激しく振ったり足のあいだに垂らしたりするところを目にすることで、私たちは動物の感覚世界を垣間見ることができるのだ。

「動物は何を知っているのか?」「動物はどのくらい自己に気づいているのだろうか?」などの問いは、熱い論議を呼ぶ。動物が多くのものごとを知っていることを示す科学的な証拠がますます得られるようになってきたが、動物種間の情報の伝達はきわめて困難なので、それが正確にどの程度なのかを知るのは不可能かもしれない。動物の情動や感覚能力についての私の基本的な考えは、「動物には動物の秘密があるが、彼らの情動的な経験は外から見ることができる」というとても単純なものである。つまり私たちは、多くの動物が豊かな情動をさまざまに経験していることを知っているのだ。そしてそれらのなかには、たとえば共感のように、ある程度の意識的な思考を必要とするものもある。ユーモアの感覚を示す動物は多い。チンパンジー、イルカ、ゾウなどの動物は、自己意識の存在を検証するテストに通っている。[*14] 畏怖の感覚を持つ動物がいるかもしれないし、あるいは善悪を区別する道徳能力を持つ動物さえ存在するかもしれない。

もちろん動物種のあいだには相違がある。社会的、生態的、身体的要因に基づく相違が考えられる。しかし、ときに極端な違いがあるとはいえ、注目すべき類似も認められる。「脳の相対的な大きさ（身体の大きさに対する脳の大きさの比率）」と呼ばれる尺度があるが、[*15] ほとんどの研究者の見解によれば、その違いは対捕食者戦略や摂食戦略などのさまざまな行動様式に関して、種間の相違を生んでいるとのことだ。とはいえ、これらの相違が何を意味するかは今のところ謎ではあるが、相対的に頭が小さい動物は、それだけ情動に恵まれていないと考えるべきいかなる証拠も見つかっていない。人間も、情動の処理に不可欠な古い脳領域、すなわち扁桃体と呼ばれるアーモンド状の組織などから成る大脳辺縁系を備えていることを考えれば、脳の相対的な大きさのみに焦点を絞るのは、まちがった判断のもとになる。人間が他の動物と何を共有しているのかに注意を向けるべきであって、必ずしもその程度が問題なのではない。マウス、イヌ、ゾウ、ヒトの脳の大きさは、それぞれ大きく異なるが、いずれの動物種も喜びや共感を表現することができる。

残念ながら誤解はあとを絶たず、一般向けの本では、動物の認知、情動、共感能力に関する根拠のない一般化がよく見受けられる。たとえばハーバード大学の心理学者ダニエル・ギルバートは、ベストセラー『明日の幸せを科学する』で、「人間という動物は、未来を考える唯一の動物である（ギルバートの原文はイタリック）」「この特徴は人類を定義づける」と主張する。[*16] 私の知る限り、動物の情動に懐疑を抱いている人すら、そんな主張はしない。さまざまな動物が未来を考える能力を持つことを示すデータは文字通り山ほどあるのだ。メキシコカケス、アカギツネ、オオカミは、食物を隠匿し、あとで回収する。下位のチンパンジーやオオカミは、上位の個体がいるあいだは好物を見つけても素知らぬふりをしているが、いなくなったときに戻ってきて食べる。またゲラルト・ユーターは、『思いやりのある脳（*The Compassionate Brain*）』で、「共感能力は他のすべての神経システムから人間の脳を分かつ」と述べているが、[*17] 科学的な証拠に基づけば、この見方は正しくない。

真実は単純で、イヌにはイヌ流の情動と認知に満ちた豊かな経験を享受する能力が備わっているのだ。動物行動学や社会神経科学の研究では、情動は人間の専売特許ではないことが示されている。イヌや他の多くの動物は、幸福、悲しみ、怒りを感じる能力を持っているのだ。これらの動物は尻尾で話をする。また、口、尾、目、耳、鼻に加えて、姿勢、身ぶり、足どりなど、さまざまな行動パターンを用いて私たちに語りかけてくる。

動物と人間
——情動と生活の共有

動物の情動はそれだけをとり上げてもとても重要なものだが、動物の存在そのもの（と彼らの共感力）が、人間の福祉にきわめて大きな意味を持つ。動物の情動が重要なのは、私たちの生活に彼らの助けが必要だからだ。動物は私たちを助けてくれる。私たちが動物に魅了されるのは、彼らの持つ情動のゆえである。言葉が通じないなかで、情動は種を超えたコミュニケーションのもっとも効率的な手段だと言える。私たちは動物と情動を分かちあえ、感情の言語を理解することができる。

だから多くの動物と、長続きする深い絆を結べるのだ。情動はいわば接着剤であり、動物と人間の交流を媒介し調節してくれる。

獣医のマーティ・ベッカーは『ペットの力――知られざるアニマルセラピー』で、ペットが人間の幸福と健康の維持に役立つと述べている。介護施設、病院、学校などで、ペットは、孤独な人々の心を癒してくれる。同じく獣医のアレン・ショーンは『人はなぜ動物に癒されるのか』で、ペットと人間の関係がストレスを軽減する、一四の具体的なあり方を指摘している。それには血圧の低下、子どもや思春期の青年の自己評価の向上、心臓麻痺に見舞われた人の生存率の上昇、高齢者の生活の改善、子どもの健全な心の発達の支援、養子の情動面の安定、メディケア〔アメリカにおける、高齢者および障害者向け公的医療保険制度〕加入者の些細《ささい》な問題に医師の介入が求められる頻度の低下、思春期直前の少年少女の孤独感の緩和などがある。またミシェル・リベラは『ホスピス犬(*Hospice Hounds*)』のなかで、イヌやネコが瀕死の人間を介護するという、さまざまなストーリーを紹介している。

最近の研究では、人によくなついた子イヌが、心臓病によいことが示されている。[*18] 心臓に疾患を持つ七六人の入院患者を対象とするランダム化比較試験〔対象者をランダムに選択しながら、介入を行なうグループ(実験群)と行なわないグループ(対照群)に分け、評価する実験方法〕で、カリフォルニア大学ロサンゼルス校(UCLA)の研究者は、品種に関係なくイヌとふれあった患者のあいだでは、不安測定尺度のスコアに平均して二四パーセントの低下が認められることを見出している。しかも患者は、一二分間、一緒にベッドに横たわったイヌをなでたり、耳をさわったりしただけだった。UCLAメディカル・センターの臨床専門看護師キャシー・コールは、「この実験は、短時間でもイヌと遊ぶことが、それを望む患者に生理的、心理社会的に有益な効果をもたらすことを示している」と言う。

同様に、私が住んでいるコロラド州にある女子更生施設の収容者は、本来なら地元の動物収容施設で安楽死させられていたはずのイヌと生活をともにしている。イヌと散歩したり、イヌの面倒をみたりすることは、収容者、イヌ、スタッフのいずれにとっても非常に有益でやりがいのある経験をもたらしてくれる。

人間と野生動物（およびその他の異種動物間）の出会いの物語は、これらの研究の結論を支持する。堂々たる肉食動物のライオンは強力な捕食者だが、思いがけない方法で、思いやり、同情、共感を示すことがある。たとえば、エチオピアで三頭のライオンが、一二歳の少女を、誘拐犯から救ったなどという話がある。[*19] ウォンディム・ウェダジョ巡査部長は、「ライオンは私たちがやって来るまで彼女を守っていた。それから、まるで贈り物のように彼女を残して、森のなかへ消えて行った」と言う。野生動物の専門家としてエチオピアの地方開発省に勤務しているスチュアート・ウィリアムスによれば、この少女は誘拐されたショックで泣いていたためにライオンに助けられたのかもしれない。「おそらく少女の泣き声は、ライオンの子どもの鳴き声ととり違えられたのではないか。だからライオンは彼女を食べなかったのだろう」と語っている。やがて、四人の誘拐犯のうち三人は逮捕された。

イルカが人間を助けたというストーリーはあまたあるが、その一つによると、ニュージーランドでは、イルカの小さな群れが、泳いでいた人々のまわりを周回しながら、ホホジロザメの攻撃を撃退したのだそうだ。[*20]助けられた一人ロブ・ハウズは、「イルカたちは、円周を徐々に縮めていくことで、私たち四人を一箇所に集めるよう誘導し始めた」と語っている。これらのストーリーを聞けば、動物の共感は、私たちの福祉、さらには生存にさえ直接的な影響を与え得るということを理解できるだろう。

動物がわざわざ人間をケアするとは奇妙に思われるかもしれないが、話はそれにとどまらない。動物同士が結ぶ関係には、とても信じられないようなたぐいのものも存在する。たとえば、ケニア北部のサンブル国立保護区では、メスのライオンが、通常は彼らの好物であるオオカモシカの幼獣を養っているところが五回ほど確認されている。[*21]東京ムツゴロウ王国では、アオちゃんが、ごはんという名の小さなハムスターと仲良くしていた。[*22]最初、ごはんはエサとしてアオちゃんに与えられた。というのも、アオちゃんが凍らせたマウスを食べようとしなかったので、飼育係がハムスターならごちそうになるだろうと考えたからだ。だが、やはり食べず、それどころかごはんと一緒にいるのを好み、ごはんはアオちゃんの背中で一眠りするようにさえなった。やがてアオちゃんは凍らせたげっ歯類を食べ始めたが、仲間を食べることにはまったく興味を示さなかった。飼育係の山本和也氏は、「アオちゃんはごはんと一緒にいるのを楽しんでいるようだ」とコメントしている。

次の魚の話はどうだろう？　メアリー・ヒースとダン・ヒースの話では、彼らが飼っているゴールデン・レトリーバーの成犬チノは、ファルスタッフという名の全長四〇センチくらいのコイととても仲がよいのだそうだ。[*23] 過去六年間、このペアはファルスタッフの住む池のふちで定期的に会っていた。チノがやって来ると、ファルスタッフは水面に浮かび上がり、チノの足をつつく。チノはファルスタッフの顔を見下ろしながら、興味深そうに、そして不思議そうに眺める。二匹の友情は、並はずれたもので、見る者を魅了する。それと同時にこの例は、他の生物との交流がいかに重要なものかを教えてくれる。

私は、それに類する体験を何度もしているが、ここではわが愛犬ジェスロとの話を二例紹介しよう。ジェスロが二歳の頃のことだが、庭で遊んだあと、玄関の前まで来て、中に入れてもらえるまで座って待っていた。そのとき私は、彼が口にふさふさしたものをくわえているのに気づいた。私は一瞬、「何てことだ。鳥を殺したのか」と思ったが、ドアを開けると、彼は唾液にまみれた幼い子ウサギを私の足元にそっと置いた。傷を負っているようには見えなかったが、自分で生きていけるようになるまでこのメスの子ウサギを飼うことにした。バニーという名前をつけた。母親はおそらく、コヨーテかアカギツネかピューマに食べられてしまったのだろう。ジェスロは、目を大きく見開いて私を見上げ、バニーを優しく扱ったことに対して、ほうびを欲しそうにしていた。そこで頭を軽くたたいて、おなかをさすってあげた。

バニーのために箱と毛布と食べ物をかき集めていると、ジェスロは興奮し始め、私の手からバニーをもぎとろうとし、ほえながら私を追い回した。箱を置いて部屋から立ち去ろうとしてジェスロを呼ぶと、彼はじっとしたままだった。バニーか食べ物のどちらかをさらおうとしているのだろうとも思ったが、そうではなかったらしい。新しい棲みかに徐々に慣れようとしているこの小さな毛の塊に魅了された彼は、何時間も立ち尽くしてその様子を見守っていたのだ。ジェスロはバニーのすぐそばで寝さえした。彼女が健康になるまで世話をしていた二週間、一度も彼女を傷つけようとはしなかった。いわばジェスロはバニーを養子にしたのであり、彼の目的は、誰も彼女を傷つけないよう守ってあげることにあった。立派に成長した一匹のウサギとして健全に生きられるよう、バニーを野外に放つ日がやって来たときにも、周囲のにおいを注意深くかぎ、飛び跳ねながらゆっくりと去っていくバニーを、ジェスロはじっと見守っていた。

それから九年後、再びジェスロは唾液にまみれた動物をくわえて来た。「またウサギかな?」と思ったが、くわえていたのは窓に衝突して感覚を失った若い鳥だった。感覚をとり戻すまでの数分間、手のなかでこの鳥をケアしていたが、ジェスロは、その私の動作を例によってじっと見つめていた。回復して飛べるようになったので、鳥をポーチの手すりに置くと、ジェスロが近づいてきて、においをかぎ、一歩さがり、そして鳥が飛んで行くところを見守っていた。

ジェスロは他の動物も好きで、二匹の小さな動物を死から救ったこともある。彼はいとも簡単に二匹をエサにできたはずだ。しかし仲間にそんなことをしたりはしない。

動物は感情を表に出すとき、噴水から水がほとばしるかのごとく噴出させる。動物の情動は、なまのもので、フィルターがかけられたりコントロールされたりはしていない。動物の喜びは、もっとも純粋かつ伝染しやすい喜びであり、また、その悲しみは、もっとも深くかつ圧倒的な悲しみなのだ。動物の激情は、私たちを喜びや悲しみの気分で満たす。動物が感情を表現しないのなら、人間と動物の交流はあり得ないだろう。私たちがペットと親密な関係を築くのは、私たち自身の情動の必要性のためばかりでなく、動物も情動を必要としていることを私たちが認識しているからでもある。ロッキー山脈のふもとの小さな丘に住む者として、私は岩の多い風景やそのあいだを流れる小川をこよなく愛するが、動物ほど身近に感じているわけではない。風景や流れる水は、感情やそれ自身の視点を欠いた感覚能力のない存在だから、そう思えるのであろう。

情動の共有と、それが持つ、引きつけ結びあわせる接着剤としての効果は、[24]アメリカの一〇億ドル規模のペット産業を成立させている。[25]アメリカでは、六〇パーセント以上の家庭が、少なくとも一種類のペットを飼い、五五パーセント以上がイヌまたはネコを飼っている。世界全体を考慮に入れると、ペットの種類には驚くべきものがあり、それには、げっ歯類、鳥類、魚類、両生類、爬虫類、昆虫、クモ類、無脊椎動物など多数の生物種が含まれる。アメリカでは、およそ二〇パーセントの家庭で鳥類が飼われ、毎年六億匹以上の観賞魚が販売されており、アメリカとイギリスにおけるペットの数は、増え続けている。

特別な関係——子どもと動物

私は、ジェーン・グドールが主催する「ルーツ&シューツ（Roots & Shoots）」[*26]プログラムの一環として、子どもと作業をしたことがある。このプログラムの目標は、動物、他者、環境に対する尊敬の念を育めるよう子どもたちを導くところにある。これは特に達成困難な目標ではない。というのも、子どもは、あらゆる種類の生物と難なく交流できる、好奇心の強いナチュラリストだからだ。また子どもは、動物の持つ情動と共感の能力が人間の生活に及ぼす強力な効果を実証する、もっともすぐれた実例のいくつかを提供する。アメリカの子どもの七五パーセント以上は、ペットと生活している。つまりアメリカでは、子どもは両親のそろった家庭で育つより、ペットとともに成長する度合いが高い。アメリカの少年は、年長の親類、弟、妹よりペットの世話をするケースのほうが多い。子どもの大多数はペットを「家族」「特別な友だち」「親友」などと呼び、八〇パーセントが自分をペットの父または母と見なす。半数以上の子どもが、孤島に置き去りにされるのなら、家族よりペットとともにいたいと考えている。また子どもは、迷って帰る家を失ったペットを気づかう。

アメリカの大学生三九四人を対象にした研究によると、子どもの頃にイヌやネコと暮らしていた学生は、そうでない学生より自信にあふれている。クロアチアで実施された研究によれば、イヌと暮らす子どもは、そうでない子どもより社交的で共感力があり、また、ペットに強い愛着を感じている子どもは、そうでない子どもに比べ、自分の家族の雰囲気を高く評価する。さらに言えば、ペットとの交流は、ペットにはペットのニーズがあるということを子どもに教え、（ペットは独自の信念と環境に対する視点を持っているとする）「心の理論」の発達を促す。

ペットは社会的な触媒になって、子どもを自閉症や引きこもり状態から脱する手助けをしてくれる（向社会的な行動の促進）。半世紀近く前に、アメリカの児童精神医学者ボリス・レビンソンによって「ペットセラピー」という言葉が造語されているが、この用語は現在でも使われている。レビンソンは、彼の愛犬ジングルがセラピーセッションの場にいると、引きこもって誰とも話そうとしない子どもの多くが、殻を破って積極的に振る舞うようになったと報告している。

ペットはまた、無私の愛情の何たるかを示し、トラウマの緩和と克服に寄与することで、虐待を受けた子どもを支援する。ある研究では、ペットは人間より、性的な虐待を受けた子どもの大きな心の支えになると報告されている。また、両親の離婚、病気、家族のメンバーや親しい友だちとの離別を乗り越えなければならないときにも、心の支えになる。

人間にとっての動物の価値は、いくら高く評価しても評価しすぎにはならない。そして私たちが動物に惹《ひ》かれるのは、彼らの情動のゆえである。かくして私たちは動物を必要としているのだが、確かに動物の多くは人間がいないほうが安全に生きていける。

パラダイムシフト
——先入観を見直し、固定観念を打破する

動物の情動とその重要性に関する問いは、ときに激しい論議の的《まと》になる。また、人間と動物の関係は複雑であり、動物の扱い方は状況によって大きく変わることがある。自分のペットにはとてつもない愛情と献身を示す人は大勢いるが、そんな人でも何の懸念も後悔もなく、さまざまな状況で動物を虐待し始めることがある。とりわけ科学者の、ペットや実験動物との関係に、そのことは当てはまる。科学者（やその他の人々）のなかには、口では動物が好きだと言っておきながら、直接的にせよ間接的にせよ、意図的に動物に苦痛を与えようとする者がいるが、そのような輩《やから》には「あなたに好かれなくてとても嬉しい！」と言ってやりたい。動物にとって不幸なことに、人間との関係は、これまでひどく一方的なものであり続け、現在でもその状況は変わっていない。人間の利害によって、動物の利害が無視されているのだ。

数年前、著名な科学雑誌『サイエンス』を読んでいたとき、次のような文章が目にとまった。「私たち人間は、どんな動物にもまして、豊かな情動体験の享受者であり、また犠牲者でもある」[*27]。これを書いた科学者R・J・ドーラン教授は、それが真実だと本気で考えているのだろうか？　実際には、ネガティブなものにしろ、ポジティブなものにしろ、他の動物は人間より、もっと鮮烈な

情動を経験しているはずなのに。この手の「人間中心主義」は、動物の情動の研究を損なっており、動物が劣悪な基準で扱われている大きな要因の一つになっている。人間はそれほど特別な存在なのか？　人間だけが深い感情を持っているのだろうか？　昨今の世界の状況を考えてみれば、私たち人間が他の動物の基準になるべき理由などないように思われるのだが……。

人間と動物のコミュニケーションを研究するにあたり、「私たち人間」対「彼ら動物」「（動物が使い捨てられる）実験室」対「（動物が仲間として大切に扱われる）家庭」「高次の動物」対「低次の動物」などの無益な二元論に終止符が打たれることを、私は切に願っている。これらの二元論は不正確であり、人間と動物のあいだで、敬意に満ちた対等で深い関係を発展させ維持するのに何ら役立たない。

私は、動物をどう考えるか、動物の情動と感覚能力をいかに学ぶか、そして「科学的」か否かを問わず既存の情報をどう活かすか、これらに関してパラダイムシフトを起こしたいと思っている。このパラダイムシフトには、それぞれの動物の情動的な生活は「かくかくしかじかであるべし」と考える、私たちの固定観念を打破することが含まれる。魚類はマウスより、マウスはチンパンジーより感情を経験する度合いが少ない、あるいは、ラットはイヌやオオカミより情動的でない、もっと一般的には、動物は人間より感情能力が劣る（ものごとを知らない、苦痛を感じない）と決めつけるくらいなら、多くの動物は豊かな情動を経験し、あらゆる苦痛を、おそらくは人間以上に感じていると考えるべきではないだろうか。

この仮定は、科学的な証拠によって支持されるようになってきた。前述のリオ会議で、世界的に有名な科学者イアン・ダンカンは何のためらいもなく、彼自身と学生（および他の研究者）の研究に基づいて、魚が苦痛や恐れを経験していると述べた。また、魚は狡猾《こうかつ》で他の個体を欺き、文化的な伝統を持つ。ケンブリッジ大学教授ドナルド・ブルームは、「より複雑な脳を備えた動物ほど、苦痛に効率的に対処できるのではないか。なぜなら、そのような動物は、不利な環境に対処するために、より多様な反応、そしてより柔軟な行動様式を動員できるからだ」と主張する。ブルームの興味深い仮説によれば、「おそらく魚は、より複雑な脳を持つ動物ほど効率的に痛みに対処できないだろう。このゆえに、実際には魚はより大きな苦痛を感じている」。動物が何をどれほど感じているのかを考える際には、固定観念を捨て、心を開くことが大切だ。

動物の扱いに関して人々がよく抱いている、ときに無意識的な二重基準《ダブルスタンダード》に対処するには、「それをあなたが飼っている愛犬にしますか？」と尋ねるのが一番だと考えている。愛犬にはしないことを、なぜ他の動物にはするのだろうか？

このパラダイムシフトは、科学のやり方を変えるだろう。科学の方法を改訂し、科学者の心を入れ替えるよう導くのだ。「動物は情動を経験していない」「実際には動物は苦痛を感じていない」ということを「証明」する必要のある懐疑家のほうこそ、証拠をあげなければならない。「私たちは動物の感情を知ることなどできないのだから、彼らがどう感じていようがさして重要ではない」などという考え方は、もはや受け入れられない。さらに言えば、それによって科学実験のやり方も変わり、誰にも苦痛を与えない環境が形成されるだろう。動物を尊重し、保護し、愛することで、科学の進展が妨げられるわけではないし、以前に比べて人間を尊重せず、保護せず、愛さなくなるわけでもない。愛犬にエサを与えると、その分子どもが飢えるのか？　そんなことはない。熟慮と配慮を欠きさえしなければ、皆をケアすることは可能なのだ。

動物は豊かな情動を経験しているとするなら、どんな危害も与えないことが重要になる。誰が言ったかは不明だが、次のようなすばらしい言葉がある。「動物は苦痛、恐れ、飢えなどの感情を持っていると仮定して、それが誤りだったとしても、誰にも何の危害も及ばない。ところが、その逆の仮定をし、それがまちがっていれば、無制限の残虐行為に至るだろう。(……)少しでも疑いがあるのなら、動物に有利に解釈すべきである」。

得た知識をどう活かせばよいのか

科学者なのに動物保護を強く主張する私の態度は、反科学的だとよく批判される。だが、私は反科学を標榜しているのではない。倫理に関する問いを立てることは、科学のよき伝統の一つであって、動物の扱いについて問うことは、反科学でも何でもない。倫理は動物に対する私たちの見方を豊かにする。動物は彼ら独自の世界で生きているが、私たちは人間の世界のなかで彼らと関係をとり結ぶ。倫理はそのあり方を教えてくれるのだ。動物とふれあえば、その生命は、尊重と称賛に値し、その価値は正しく認識されてしかるべきものだということが理解できるだろう。実際、多くの人が、クジラ、イルカ、シロクマ、鳥類などと親密に交流しようとするのは、これらの動物を正しく認識し、その存在に敬意や称賛の念を抱いているからだ。

息をするには空気が必要なのと同様、私たちの生活には動物の存在が不可欠である。現代の私たちは、多数のメンバーが、動物やその他のあらゆる自然から疎外されたみじめな生活を送る傷ついた社会で暮らしている。動物は、日常生活で私たちの手助けになる、至上の伴侶とも言える。動物との親密な助けあいの関係なくしては、私たちは自身が暮らす環境の豊かさ、多様性、おごそかさから疎外されてしまうだろう。だから情動的なサポートを求めて動物と交流するのだ。旧石器時代に形成された脳は、現代のめまぐるしく変化する社会には欠けている自然なものへと引かれていく。そして、他の生物との親密な関係は、偉大な自然の意匠のなかで私たちがどのような位置を占めているのかをわからせてくれる。かくして動物は私たちを慰め、真に重要なもの、つまり感覚能力を持つ存在とのふれあいをもたらしてくれるのだ。私の同僚ジョン・ウェブスターが言うとおり、感覚能力を持つ動物との交流では、感情が重要な役割を果たす。

このような見方に従って生きることを学べば、人間社会によって動物が虐待され使い捨てにされている現状を改善できるはずだ。事実、私たちには全力を尽くして彼らを救う義務がある。自分たちの生活を振り返り、倫理にかなった最善の選択をするよう努力することから始めよう。人道的な活動を行なっている団体に生活必需品を寄付しているだろうか？　知人が動物を傷つけるような選択をしようとしているところを見かけたときには、注意したり、考えを改めさせたりしているのか？　もっと厳しい動物保護法を制定する必要性に対して人々を開眼させるには、どんな方法があるのだろうか？　毎日世界中で、あまりにも多くの動物が傷つけられている。心を入れ替えて、とりわけ現行の実践方法を変えられれば、私たち人間は必ずや進歩し、明るい未来が見えてくるだろう。

私が専攻する分野では、何の問題もなく、倫理や人道的な側面に配慮しながら堅実な科学の営みを実践できる。科学や科学者が、人道的、感情的であっても、何ら問題はない。動物の思考、情動、自己意識の研究、そして行動生態学、保全生物学は、科学的に厳格であると同時に人道的でもあり得る。また、動物の倫理的な待遇と科学は、両立し得る。開いた大きな心で、確固たる科学を実践することは可能なのだ。

恐れではなく愛情に満ちた心の赴くところに従って行動することを奨励する。そうすれば、より思いやりがあり人道的な選択ができるはずだ。私たち全員がこの道を歩めば、世界はあらゆる生物が暮らしやすい場所になるだろう。思いやりはさらなる思いやりを呼ぶのであって、動物を大切にし、ケアすることは、その人の人道的な心構えを強化し、ひいては人間自身に対するケアの改善にもつながっていく。思いやりの心は、皆で自由に分かちあうことが肝要なのである。

ジャスパーとパブロ
——無数の実例のなかから

どんな人間も、生物も、春の喜びを満喫する神聖な権利を持っている。
——レフ・トルストイ

私は本書をジャスパーとパブロに捧げる。ツキノワグマのジャスパーは、かつて熊胆《ゆうたん》〔クマの胆嚢《たんのう》のことで、中国では古来より生薬として用いられている〕の生産を目的とした中国のクマ牧場で、小さなクラッシュケージに閉じ込められて飼われていた。*28 クラッシュケージは、クマの身体を押し縮め、胆汁の生産量の最大化を図るために使われている〔次頁の図版も参照のこと〕。胆汁は、胆嚢にカテーテルを挿入することで採取される。動物保護団体アニマルズ・アジアの創立者ジル・ロビンソンが「さびた拷問監獄」と呼ぶ小さな檻《おり》に閉じ込められたジャスパーは、中国で古来より生薬として使われている胆汁の採取のために、何年ものあいだ繰り返し拷問を受けていた。「この哀れなクマは、〈クラッシュ〉によって檻の半分の高さにまで押しつけられ、地面にへばりつくようにして生きていた」とロビンソンは私信で私に教えてくれた。さらに次のように言う。「この利口な野生のクマが、救助されるまで一五年間も、立つこともすわることも、またほとんど動くこともできない状態

15 年間ジャスパーが閉じ込められていたクラッシュケージ（写真提供 Annie Mather/Animals Asia）

健康を取り戻した現在のジャスパー（写真提供 Annie Mather/Animals Asia）

で横たわりながら生きていたとはとても信じられない。カテーテル挿入時の身体的、心的な苦痛は、耐えられないものであったはずだ。今ではジャスパーは、いたずら好きで遊び好きな、仲間のクマにも人間にも同様に愛される皆の友だちとして暮らしている。彼の美しく人を疑わない目には、種としての赦しを見出せる。われわれは、その目を見て、できる限り多くのクマを救わなければならないと改めて感じる」。

二〇〇四年、著名な霊長類研究所の次長を務めていたジョン・カピタニオは、動物に情動が備わっているかどうかを尋ねられて、「動物は、私たち人間がその上に欲求、感情、世界観を投影できる真っ白なキャンバスだ」と軽蔑するように答えている。[*29] ジャスパーは真っ白なキャンバスなどではない。深い感情を持った生き物であってモノではない。それなのに繰り返し拷問されたのだ。もちろん彼はそうされたいなどとは思っていなかった。感情を持つ動物に対して、そのようなむごい仕打ちができる人間がなぜいるのだろう？　私はジャスパーを「希望と自由のスポークスベア」と呼びたい。拷問されたのに、彼は私たちを赦したのだ。

パブロは、檻に囚われ虐待されていたチンパンジーで、飼育されていたニューヨーク大学の実験室ではＣＨ‐３７７と呼ばれていた。[*30] 研究者は、実験に使う動物から心理的に自分を切り離す一つの手段として、名前ではなく番号を用いていたのだ。パブロの悲しいストーリーは『ディスカバーマガジン』に掲載された。それには次のようにある。「研究記録によれば、パブロは、（……）薬品を含んだ矢《ダート》を二二〇回射られ、一度は誤って唇に打ち込まれた。また、肝臓を二八回、骨髄を二回、リンパ節を二回、生体検査されている。テストワクチンを四回注射されているが、そのうちの一回は肝炎のワクチンとして知られているものを打たれている。一九九三年には、致死量の一万倍のＨＩＶを接種させられている。この樽状《たるじょう》の胸をしたチンパンジーは、エイズにも肝炎にも感染しなかったが、結局、長年ダートを射られ、注射され、生体検査されてきたことによる損耗のために、感染症が悪化して死んだ」。

パブロの死につき添っていたグロリア・グロウは、他のチンパンジーにその様子を観察させている。彼女は次のように述べる。「一匹、あるいはペアで、チンパンジーたちはパブロの腕を引っ張ったり、目を開けてみたり、膨れ上がった腹部をさすったりしていた。（……）やがて彼らは、叫びながらパブロのそばから離れて行った。それからすぐに飼育室の壁は、こぶしで鋼鉄をたたく音で反響し始めた」。その春、ジェーン・グドールはパブロの遺灰を携えてタンザニアに赴き、「雨を止めるためにチンパンジーがダンスをするゴンベの森に撒いた」。

本書を捧げるべき動物は何千といる。ジャスパーとパブロは、虐待を受けている無数の動物（年間数十億頭にのぼる）のなかの二頭にすぎない。そのような扱いは、動物ばかりでなく私たち自身に向けられた侮辱でもある。人間は善悪を判別できる生物ではなかったのだろうか。

重要なのは、動物が何を知っているかではなく、何を感じているかだ。ＩＱは関係ない。ここで、功利主義哲学者ジェレミー・ベンサムが、動物の苦痛について述べた有名な言葉を思い出すのは有益だろう。「問われるべきは、思考や言語の能力ではなく、苦痛を経験する能力を持っているかどうかだ」と彼は述べる。ベンサムにとっては、動物が思考能力を持っているか否か、あるいは賢いかどうかは問題ではなかった。彼は、動物が苦しむ能力を持っているかどうかに関心を寄せていたのだ。知性と苦痛のあいだに必ずしも相関関係はなく、賢い個体がそうでない個体より大きな苦痛を感じるわけではない。自己に対する感覚を発達させていない動物も存在すると主張する懐疑家もいるが、その見方は正しくないということを以後の章で検討する。いずれにせよ、たとえ自己を知らなかったとしても、動物は苦痛を感じる能力を持ち、自らの感情に気づくことができ、また、自分が何を欲しているか、あるいは何を望んでいないかを、人間や他の動物にはっきりと伝える能力を持っている。

さていよいよ、動物の心に分け入り、彼らがどんな理由で何を感じているかを発見する旅に出かけよう。繰り返すが、動物の感情を否定することは、動物ばかりか私たち人間を貶めることでもある。動物をその本性のままに受け入れ歓迎する、それだけの努力で彼らの生活を改善できるのだ。私たちには最低でもそうする義務がある。

第2章

認知動物行動学

動物の心と感情の研究

きっとロバは、気ままに草を食《は》み、まわりの景色に驚嘆し、自分のあり方を振り返り、水をたくさん飲み、楽しみ、歌い、眠り、セックスし、子どもを育て、仲間とパーティーを開き、ロバの生き方について皆で激論を戦わせることができるよう、ただ放っておいてほしいだけなのかもしれない。

——マイケル・トバイアス&ジェーン・モリソン『ロバ（*Donkey*）』[*1]

のどを鳴らしているネコは、いったい何を考え感じているのだろうか？　走り回ったりじゃれついたりしているイヌの心には、どんな思いがよぎっているのか？　死んだ仲間を鼻でつついているゾウの脳や心のなかでは、何が起きているのだろう？　静かに草を食み、周囲の景色をじっと眺めているロバは、何を感じているのだろうか？　私が認知動物行動学者になったのは、動物の心のなかに何が浮かんでくるのかを知りたかったからだ。そのために、「尻尾の会話」の読みとり方や、動物の鳴き方の正しい識別方法をマスターする必要があった。

本章では、認知動物行動学の概要、歴史、目標を解説する。また最後に、この学問で実施されている野外調査の様子を知ってもらうために、私の経験を紹介する。本章はとても短いが、その目的は、次章でもっと近くから動物を検討するための準備を整えることにある。

認知動物行動学
――定義と目標

認知動物行動学は、動物の心を進化論、および生態学に基づいて比較研究する学問であり、動物がいかに思考し、何を感じているかを調査することに焦点を置く。研究対象には、情動、信念、思考、情報処理、意識、自己意識が含まれる。認知動物行動学には、種《しゅ》を超えた心的機能の連続性を明確にすること、知性や情動がいかに、そしてなぜ進化したのかをつきとめること、動物の世界それ自体に関する謎を解くことなど、いくつかの目的がある。また認知動物行動学者は、自然のなかで暮らしている、もしくはできる限りそれに近い条件のもとで生きている動物の観察を理想とする。

動物の情動や心的機能への関心は古くから存在するが、進化とそれに基づく動物の認知能力の連続性に焦点を絞る現代の認知動物行動学は、ドナルド・R・グリフィンの一九七六年の著書『動物に心があるか――心的体験の進化的連続性』〔邦訳は一九七九年〕とともに始まった。グリフィンはときに「認知動物行動学の父」と呼ばれ、彼の主たる関心は、動物の意識についてもっとよく知ることにあった。彼も、「ある特定の動物であるとはどのようなことであるか」という難問に何らかの回答を与えたかったのだ〔著者自身の関心とともにトマス・ネーゲルの有名な論文「コウモリであるとはどのようなことか」（邦訳はトマス・ネーゲル『コウモリであるとはどのようなことか』、永井均訳、勁草書房、一九八九年）に言及しているものと思われる〕。

認知動物行動学は、動物の福祉や保護に関心のある人々を含め、さまざまな分野の研究者の注目を集めている。私はこの学問を、動物の主観、情動、共感、道徳を理解するための統合化された科学と見なしている。しかし、認知動物行動学が提起する、魅力的かつ刺激的な「大問題（第4章でとり上げる社会道徳の進化など）」に答えるには、学際的なアプローチが不可欠であり、動物行動学者、遺伝学者、進化生物学者、神経生物学者、心理学者、人類学者、哲学者、神学者、宗教学者、宗教指導者が協力しあい、動物の情動、道徳の理解、それらと人間の道徳、倫理、精神の比較、および前者が後者の進化に果たした役割の解明という非常に困難な課題に挑まなければならない。

とはいえその前に、「動物が感じたり考えたりしていることがどうやってわかるのか？」などの基本的な問題に関して見解を一致させる必要がある。この問いに対する答えの一つは、行動の柔軟性に求められる。動物の行動様式には柔軟性が認められるが、この事実は、動物が、状況によって行動を変えることを可能にする遺伝的な本能によってプログラムされているという点ばかりでなく、意識や情動を備えていることをも示す。たとえばサルは、うまくいかないと考えると、実験への参加を拒む。また、次のような実験がある。ラットは迷路を走っているとき、それまでに学習したことを振り返る場合がよくある。[*2] 立ち止まって、頭のなかでたどった道を逆行しながら、行動を変えるのである。特定の刺激に選択的に注意を集中し、いくつかの可能な行動のなかから意図的にどれか一つを選ぶことが求められる決定を迫られると、多くの動物はそれを行なうことができる。つまり、それらの動物は、周囲の世界に気づいており、さまざまな状況のもとで、適切な選択決定を意図的かつ柔軟に下すのだ。

行動の柔軟性は、意識や心の働きをテストするリトマス紙として機能する。意識が進化したのは、予測不可能な種々の状況に直面したとき、それによって選択が可能になるからだ。しかし、動物には意識が備わっているという結論にひとたび至れば、さらに興味深い問いに突き当たる。動物は何を考えているのだろうか？　何を感じているのか？　これらの問いに答えたいという動機が、認知動物行動学を推進しているのである。朝も早くから目を覚まし、「さあ！　今日もはり切って仕事に取りかかろう」と思わせるものがそこにはある。

チャールズ・ダーウィン
——心ある進化論者

チャールズ・ダーウィンは、情動の研究に注目した最初の科学者とされることが多い。ジェームズ・レイチェルはダーウィンの言葉を修飾しながら、「哺乳類は（多かれ少なかれ）、不安、悲しみ、落胆、絶望、喜び、愛情、優しさの感情、献身、不機嫌、ふてくされ、決意、憎しみ、怒り、軽蔑、さげすみ、嫌悪、罪、誇り、無力、忍耐、驚き、恐れ、おぞましさ、恥、内気、謙遜を感じている」と述べる。情動表現の起源に関する問いに答えるにあたり、ダーウィンは、行動の研究に比較研究法を適用した最初の科学者にもなった。比較研究法は、動物種間の行動の類似性と相違性を調査するために、近縁種と遠縁種を比較する。ダーウィンは、次の六つの方法を用いて情動表現を研究している。

(1) 幼児の観察
(2) 正常の大人に比べ、情動をうまく抑えられない異常者の観察
(3) 顔面の筋肉への電気刺激によって生じる表情の観察
(4) 絵画や彫刻の分析
(5) (とりわけヨーロッパ人とは遠縁の人々の) 表現と身ぶりの文化間比較
(6) 動物 (とりわけ飼いイヌ) の表現の観察

『人及び動物の表情について』でダーウィンは、飼いイヌについて洞察力豊かに次のように述べている。[*3]「かつて大きなイヌを飼っていた。他のイヌと同じで、彼はよく散歩に行きたがった。頭はしっかりと前を向き、足は高く上げ、耳は少しばかり立て、尻尾は高く、しかし柔らかく持ち上

げて、私の前を駆けていくことで喜びを表現したものだ」。ダーウィンがいつもの散歩のコースからはずれようとすると、愛犬はとまどう様子を見せた。ダーウィンは言う。「彼の落胆の表情は家族全員が知っていた。（……）頭を低くし、全身をやや沈めたまま動かなくなり、耳と尻尾を突然垂らすのだ。（……）そしてみじめな落胆の様子を見せた」。

ダーウィンは、「情動は、群居性の動物の社会的な絆を強化するために進化したものであり、人間もその他の動物も、その能力を備えている」「情動は私たちを共同体や環境に結びつける」と主張する。さらに、何か問題が生じると立ち止まるなどといった、動物行動の観察によって得られた情報を用いて、「言語を持たない動物ですら思考することができる」という自身の主張を裏づけようとする。

慎重に行なった研究のなかでダーウィンは、多くの生物種間の相違が程度の問題であることを繰り返し強調している。たとえば、心的な能力の差は、連続的なものだと主張する。したがってダーウィンの考えに従えば、心臓、腎臓、歯などの器官のみならず、脳やそれに関連する認知、情動能力の動物種間の差も、進化的に連続的なものと見なせる。

言い換えると、よく観察すれば、人類の知性と情動の起源を他の動物に見出せるはずなのだ。これは人間と動物がまったく同じであるという意味ではない。そうではなく、両者は連続的と見なして差し支えないほど、身体的、機能的な特徴を共有しているということだ。それが「進化の連続性」という語の意味するところであり、生物種間の類似や相違は、白黒はっきりしたものではなく、微妙な濃淡を帯びている。

ダーウィンは進化の連続性の議論にこだわらず、「心的な能力において人間と動物のあいだに根本的な差異はない」と記している。[*4] 彼は、比較実験ではなく観察に基づき、多くの動物に認知的な能力の存在を認めている。また、人間と動物の心的な連続性を強調するのに加え、人間以外の動物にも感情と情動の能力を認めている。たとえば次のように主張する。「人間と同様、より低次の動物も、明らかに喜び、苦痛、幸福、みじめさを感じている」と。また、観察に基づいて、サルはだます能力を持っていると論じる。ロンドン動物園で初めてオランウータンを見たとき、激しい感情、怒り、不機嫌、そして落胆が認められたと言う。さらには、チンパンジーはがっかりした子どものようにふてくされる、あるいは、動物園のサイは「喜びで足をはねあげたり、後足で立ったりする」とも述べている。

のちに詳しく見るように、最新の研究は、ダーウィンの見方を支持する。イヌなどの動物は、いくつかの脳組織と、喜びなどの情動の基盤をなす神経化学物質を人間と共有していることが、現在では知られている。進化の連続性を見極める方法は、情動を対象にする場合でも、純粋に身体特徴を対象にするときと本質的に変わらない。私たちは、心房の数がいくつあろうが、その器官を心臓と呼ぶ。なぜならば、どのケースでも血液を送り出すことがその役割である点に変わりはないからだ。カエルの心臓が人間やタカのものに似ていないからといって、カエルには心臓がないなどとは言わない。同様に、イヌ、チンパンジー、人間の喜びが正確には同じでないからといって、イヌやチンパンジーが喜びを感じないなどとは言えない。

好奇心旺盛なナチュラリスト

ときに「好奇心旺盛なナチュラリスト」とも呼ばれるオランダの動物行動学者ニコ・ティンバーゲンは、動物行動の研究に一つの枠組みを与えたが、彼の提案は認知動物行動学に関心のある研究者にとってたいへん役立つ。彼とコンラート・ローレンツ、およびカール・フォン・フリッシュは、一九七三年に動物行動の研究の開拓者としてノーベル生理学・医学賞を授与されている。[*5] ティンバーゲンは、たとえばガゼルがライオンから逃げる、イヌがじゃれるなどといった一つの行動パターンに対して異なった問いを提起する、互いに関連する次の四つの研究領域をあげ、研究者はそれらのいずれにも関心を向けるべきだと主張する。

（１）行動の進化。
（２）適応。すなわち、どのように特定の行動の実践が、その個体を環境に適応させ、最終的には繁殖を可能にするのか。
（３）原因。すなわち、何が特定の行動を引き起こすのか。
（４）個体発生、発達。すなわち、個体が成長する過程で、いかに特定の行動が生じ発達するのか。

たとえば、イヌの遊び《プレイ》の研究に関心があるのなら、次の四つの問いを考察する必要がある。

（1）イヌは遊んでいるとき何をしているのか？　なぜそのようなプレイが進化したのか？
（2）プレイはイヌをいかに環境に適応させるのか？　プレイはいかに個体の繁殖成功度、すなわち子孫の数に影響を及ぼすのか？
（3）何がイヌにプレイをさせるのか？
（4）イヌの個体が成長するにつれ、どのようにプレイが発達するのか？

同様に、悲しみや苦痛、あるいはその他の情動についてもっと知りたければ、なぜそれらは進化したのか、どんな利益があるのかなどと問う必要がある。

これらの問いに答えるための研究方法はそれぞれ異なるが、対象となる動物の行動パターンを観察し記述することから始めるという点では共通する。最初の観察によって得られた情報を利用して、その動物の正常時の行動の一覧を作成し、それを使って、進化、機能、原因、そして、さまざまな状況下でその動物がとる行動パターンの発達についての問いに答えられる。動物の行動をどう観察し、測定すればよいのかが多くの人にとってわかりにくいのは、それが「生じると同時に消える」

からだが、もう一人の好奇心旺盛なナチュラリスト、コンラート・ローレンツは、「行動とは、動物が〈行なう〉ものであると同時に〈持つ〉ものでもある」ことを強調する。つまり行動は、自然選択が作用する解剖学的な構造や組織と同じ方法で観察可能であり、綿密な実験によって、心臓や胃と同じように記述できるのだ。私たちは、個々の行動を測定して、なぜ動物は、異なる状況下では違った行動パターンをとるのかを知ることができる。

一例をあげよう。「イヌは遊びたいときに何をするのか？」という問いを立てたとしよう。自分たちが行なっていることが遊びであって本気ではないということを、イヌ同士でいかに保証しあえるのか？　イヌは、遊んでいるとき、どう感じているのだろうか？　私は、「プレイバウ（play bow）」あるいは単に「バウ」と呼ばれる、遊びへ招待する方法（play-soliciting）を何年にもわたり研究してきた〔プレイバウでは、イヌは頭部を下げ、臀部《でんぶ》を上げる姿勢をとり、尻尾を振る場合もある〕。慎重な調査によって、私たちはプレイバウの期間と、それがどのくらい厳格で定型化されたものかを測定することができた。イヌがとるプレイバウの姿勢は、一度確認できれば、次回からはすぐにそれとわかるはずだ。イヌ同士ならばなおさら、「さあこれからするのは遊びだ！」とわかるだろう。プレイバウは、誤って解釈されると継続中の社会的な遊びを混乱させかねない行動の直前直後に行なわれる場合が多い（遊びについては第4章で詳細に検討する）。私たちは、イヌがプレイバウの姿勢をとっているところを撮影し、一フレームごとに何度も見返して、心拍数や腕の長さを測るのと同じように測定し、その継続時間と様態を調査することができた。こうして得られた情報は、「私はあなたと遊びたい」というメッセージを他のイヌに明確に伝える信号として、プレイバウが進化した理由を理解するのに大いに役立つ。

ティンバーゲン、ローレンツ、フォン・フリッシュは、このような方法を用いて、ハイイロガンの刷り込み、スズメバチの帰巣、キツネの狩り、ミツバチのダンスなどを研究している。のみならず、研究を楽しんでいたようだ。ローレンツにいたっては、キツネ皮のコートを着て跳ねまわり、ハイイロガンがそれにどう反応するかを確かめようとさえした。明らかにローレンツは、動物の仲間たちに愛情をもって接していた。彼の草分け的な研究は、さまざまな生物の行動パターンを注意深く比較研究することで、進化について、また、行動が個体の生存に影響を及ぼすあり方について理解できることを示した。動物の情動も、それと同様な分析と進化論的な見方を適用して研究できるはずだ。

類推の重要性

しかし、心臓の研究と心の研究のあいだには大きな相違がある。心臓は目に見える物理的な対象だが、情動や思考は「不可視」だ。情動に関して「見る」ことができるものとは、その兆候であり、行動として体現されるもの、あるいは神経化学への影響を通して観察可能な現象に限られる。だが、怒り、愛情、悲しみそのものは、手にとって観察できるようなたぐいのものではない。

そのため、動物行動学者は類推《アナロジー》を用いて議論することが多い。人間と動物を比較して、脳の構造、ホルモン、生理機能、解剖学的構造《アナトミー》、遺伝的特質、行動、表情、発声など、さまざまな側面に類似点（や相違点）を探すのだ。これらの特徴は、動物種を、さらには同一種のいくつかの個体をわたって精査される。たとえば、「人間は脳の特定の組織に結びついた情動を備えている。動物も、それと同じ、もしくは類似の組織を持つ。したがって動物も、類似の情動を経験しているはずだ」と言うとき、私たちはアナロジーを用いて議論しているのである。事実、多くの動物種の脳は、情動に関与するいくつかの領域に、類似の神経組織を備えている。人間を含めたさまざまな動物種のあいだには進化の連続性があるゆえに、これらの議論は正当と見なせるのだ。

長年アフリカゾウを研究してきたジョイス・プールは、ゾウには痛み、苦しみ、抑うつ、悲しみを経験する能力があると確信している。プールは「動物が情動を欠いたただの自動機械《オートマトン》なら、人間の情動は何に由来するのか？」と問う。人間の誕生と同時に何もないところから情動が突然生じたと考えるのでなければ、人間の情動の進化的な前身となる何かが、動物にもなければならないはずだ。

アナロジーを用いた進化的な説明の一例を紹介しよう。科学者のミシェル・カバナックは、イグアナなどの爬虫類《はちゅう》が快の感覚を最大化できることを発見している。[*6] イグアナはエサを求めて寒い場所に出ていくよりも、暖かい場所に留まっていることを好むが、カエルなどの両生類や魚類にはそのような振る舞いは見られない。またイグアナには、「情動熱（emotional fever）」と呼ばれる現象

（体温の上昇）や頻脈《ひんみゃく》（心拍数の増加）が見られるが、これらの生理的な反応は、ヒトを含めた他の脊椎動物では快感情に関連づけられている。意識の誕生と見なせる最初の心的なできごとは、快や不快の感覚を経験する能力の獲得だと、カバナックは主張する。彼の研究に従えば、爬虫類は基本的な情動を経験する能力を持ち、情動能力は、両生類と初期の爬虫類のあいだの進化過程で登場したのである。

野外調査
——野外に出て泥にまみれる

概して動物行動学者は、動物を研究するにあたり実験室より野外調査《フィールドワーク》を好む。理由は単純で、自然環境のなかで間近に野生動物を観察し、その生活様式の詳細情報を集めるにしくはないからだ。私がよくするように、「かくかくしかじかの状況でイヌであるとはどのようなことか？」などの見かけは単純な問いから研究を始めるのであれば、イヌの視点からイヌの日夜の生活を理解しようと努めねばならない。私はよく、四つん這《ば》いになって歩きまわり、プレイバウの姿勢をとり、ほえ、愛犬の首筋に噛みつき、背中で転げまわる。ただしお尻のにおいをかぐ重要な動作を真似るのは控えている（これはイヌにまかせている）。研究と観察のためなら、動物の住むどんな場所にも出かける覚悟があり、また、「同じ状況に置かれたら、私ならどう感じるだろうか？」と考えながら動物に共感しようと努めている。もちろん、動物の世界に対する私の見方は、彼ら自身の見方とは必ずしも一致しないということを、私はつねに忘れないよう心掛けている。とはいえ、自分なりのアナロジーによってではあれ、彼らの見方により近づくことができれば、それだけよく彼らのことを理解できるはずだと考えている。

言うまでもないことだが、イヌは通常、実験室で生活しているわけではない。それはどんな動物でも同じだ。動物の心の機能を研究するには、コントロールされた環境を提供する実験室は有用であり得る。しかし真に動物の視点から、彼らがどのように生き、考え、感じているかを知りたければ、私たちのほうが彼らの世界、つまり野外へと繰り出していかなければならない。また、動物行動学者の観点からすると、自然選択が作用してきた、あるいは現在作用している自然環境に、なるべく近い条件のもとで研究を行なうことが大切だ。さらに言えば、囚われた状態の動物を対象に研究することには、いくつかの難題が伴う。それには、檻《おり》に動物を閉じ込めて研究することで生じる倫理問題、不自然な状況下でストレスを受けている個体を研究することの科学的妥当性に関する問題などがある。これらについては、第６章で詳しく検討する。

もっとも肝心な点を指摘しておくと、すぐれた動物行動学者になるには、動物が持つあらゆる感覚に気づき、それらがどんな状況下で、いかなる組み合わせによって用いられるのかがわかるようにならねばならない。人間と同様な方法で、他の動物が外界を感じとっているとはとても考えられない。また、同じ動物のあいだでも、すべての個体がまったく同じあり方で感じているわけではないはずであり、したがって個体間に差異がある可能性に留意しておくことも重要だ。ヒトは視覚を重視する種だが、動物を研究する際には、視覚刺激とともに、音、におい、味覚なども考慮に入れなければならない。つけ加えておくと、認知動物行動学者は、さまざまな動物種間の広範な比較を重要視し、ラット、マウス、ハトなどの二、三の種を、動物全体を代表するものとして選択したりはしない。このように、野外調査の重視、さまざまな動物への関心は、認知動物行動学者を、同様に動物の行動に関心を抱いている心理学者から区別する。

おしっこ、うんち、毛、そしておなら
――動物行動学者の一日

野外調査のやり方は、動物行動学者の数だけ存在する。座ってじっと観察するだけのときもあれば、直接的あるいは間接的に動物と何らかのやり取りをする場合もある。学生とグランドティトン国立公園〔ワイオミング州西部に位置する〕に棲むコヨーテを観察したときには、ワイオミング州ムース近郊にあるブラックテイルビュートの頂に何時間も座りながら、強力なスポッティングスコープ〔望遠鏡の一種で、おもに遠方にある地上物を観察するための光学器械〕と望遠鏡を使って既知の個体を追った。だが、寒く陰鬱な冬の日なら、スノーシューを履いて徒歩で、あるいはスキーを装着して、私たちが（コヨーテが、ではない）疲れ果てるまで、コヨーテのあとを追うこともある。南極大陸のク

ロージャー岬でアデリーペンギンを調査したときには、ペンギンが巣を出て、海に飛び込むところを並走しながら観察した。また、ペンギンが子どもをケアしたり、巣を作るために石のとりあいをしたりしている様子を凍えながら座ってじっと見ていた。野外調査はつねに私たちの好奇心を満たしてくれるが、体力を消耗することも多く、神経質な人や気の弱い人には向かない調査もある。本章を締めくくるにあたって、「黄色い雪」と動物の糞《ふん》を用いた二つの野外調査の例を紹介しよう。

地元のコロラド州ボルダーでは、「黄色い雪」の収集という変わった調査テクニックを用いてイヌの自己意識を学んだ。毛や糞尿は、個体のアイデンティティ、個体間の関係、何を食べたか、ホルモンや生殖に関する状態、情動の状態、そしてとりわけストレスを受けているか否かなど、たくさんの情報を含む。科学者は化学分析によってこれらの情報を調査できるが、動物は鼻を使う。実際、動物の多くは、人間とは異なる感覚世界に住んでいる。人間には聞こえない音を聞き分け、私たちならそんな鋭い嗅覚がなくてよかったと思うようなにおいをかぎ分けられる。深く息を吸い込み、吐き出し、精力的に鼻を鳴らしながら、重要な情報と大きな快をもたらしてくれる、鋭敏に発達した嗅覚を使って、においの交響楽をかぎ分けるのだ。

数年前、わが愛犬ジェスロが自己に関して何を知っているかを調査する研究を行なった。自分の尿を他のイヌの尿と区別できるのだろうか？　そこでジェスロと他のイヌが残した「黄色い雪」を別の場所に移動してみるという実験を五年にわたって実施した。手袋をした手で「黄色い雪」をすくって、日課でボルダーの自転車道を散歩しているときと同じように、ジェスロがすぐにそれを見つけられるよう配慮しながら別の場所に移した。なお、私がにおいの交響楽を生み出した張本人であることに気づかれないよう、ジェスロが見ていないタイミングを見計らってまくようにした。

その結果、ジェスロは自分の尿より他のイヌの尿に強い関心を示すことがわかった。関心の度合いは、「黄色い雪」のにおいをかいでいる時間の長さと、その上に放尿して「マーク」したかどうかで測った。別の場所に移したにもかかわらず、自分よりも他のイヌの、それもメスよりオスの尿のにおいをかいでマークすることのほうが多かった。明らかにジェスロは、自分の尿と他のイヌの尿を区別できるのだ。イヌに自他の尿の区別ができるということは、愛犬家ならすでに知っているだろう。だが、私の実験以前に野外でその点を調査した記録は見つからなかった。私が発案した単純かつ非侵襲的な調査方法によって、既存の一般知識を再確認できたということだ。

コロラド州で黄色い雪を集めるのも一つの例だが、二〇〇五年七月にケニアで経験したことはまた別の例になる。そのとき私は、ケニア北部のサンブル国立保護区でイアン・ダグラス＝ハミルトンと共同研究を行なっていたカリフォルニア大学バークレー校のジョージ・ウィットマイヤーに同行して、ゾウの糞を収集する体験を味わうことができた。おそらく、「やあ、ゾウの糞を集めるのを手伝ってくれないか」という呼びかけに喜んで応じるのは冒険心に富んだ動物行動学者だけだろう。私は、「最低でも、帰ったらいい話のタネになるに違いない」などと考えながら、この提案に飛びついた。

まさに期待どおりだった。糞の収集に出かける数日前のことだったが、私がトラックに座っていると、六歳のメスのゾウがこちらにやって来て、直前で立ち止まり、鼻でトラックの前面を強打して、何事もなかったかのように歩み去っていった。その数時間後、ウィンツと呼ばれる群れの一員の、大きなメスのゾウ、ヘワが、研究機材を積んだ車に向かって歩いてきて、あたかも「ここで何をしている?」と言いたいかのごとく一睨《ひとにら》みしてから、私の顔面から六〇センチくらいのところで放屁《ほうひ》した。この暖かいヘワの歓迎を受けたあと、私はジョージのほうを向いて「今のはいったい何だい?」と尋ねた。

「ああ、あれはここでは誰がボスかをやさしく教えてくれたんだよ」と、彼は答えた。ジョージの話では、棒で車を強打したあと、その棒をひょいと空中に放り投げ、歩み去って行ったゾウもいるらしい。ゾウは、その気になれば車くらい横倒しにできる。ジョージと同僚は、争いに負けたオスのゾウにそうされたことがあるそうだ。数日後、乗っていたトラックが巨大なゾウの群れにとり囲まれ、彼らが用を足すのを待っていたとき、これらのストーリーが私の頭のなかを駆け巡った。

ゾウは人間の言うことなど聞かない。そういうわけで私たちは、長時間トラックのなかでじっと座りながら彼らが用を足すのを待っていた。そのあいだ、ジョージはこれらのゾウの名前、生物学的、社会的な関係、行動について教えてくれた。その光景は実に魅力的で、畏敬の念すら覚えさせるものだった。とりわけ素晴らしかったのは、動物の正常な行動に影響を与えない非侵襲的な方法でゾウを間近に観察できたことだ。もちろん、麻酔薬を含んだダートを放って群れの一頭を眠らせ、そのあいだに血液を採取し分析すれば、相応の情報を取得できただろう。しかし「彼らの自然な営み」をうまく活用するほうが、ゾウにとっても私たちにとってもはるかに好都合だ。やがて一頭のオスが用を足した。するとジョージは、勇敢にもトラックから飛び出して巨象の群れのなかに消え（ゾウのほうでは彼に気づいていないようだった）、巨大な糞の塊をすくってビニール袋に詰め、トラックに持ち帰ってきた。そして笑みを浮かべながら後部座席に放り込んだ。私も顔には笑みを浮かべていたが、心のなかでは、早くキャンプに帰ってこの荷物のそばから離れたいと思っていた。採取したゾウの糞やその他のサンプルは、遺伝子解析に回され、それによってジョージたちは、サンプル国立保護区のゾウに関してさらなる情報を得ることができた。

さまざまな動物のなかでも、ゾウは深い情動をひんぱんに示すことでよく知られている。しかし他の多くの動物も、進化の過程を通じて獲得された情動を備えていることにまちがいはない。次章では、種々の動物の、感情に満ちた生活を覗《のぞ》いてみることにしよう。

第3章　動物の感情

動物は何を感じているか

チンパンジーの非言語コミュニケーションの大部分は、人間に類似する。チンパンジーは、どこか別の場所に行ったあとで戻ってきてあいさつをするときには、キスし、抱きあい、背中をたたきあう。攻撃するときには、ふんぞり返り、顔をしかめ、叫び声をあげ、殴り、平手打ちをし、蹴る。個体間、とりわけ母子のあいだ、および母方の兄弟姉妹のあいだでは、強い愛情の絆が結ばれ、一生続く場合もある。（……）そして、私たちが幸福、悲しみ、怒り、落胆と呼ぶものに似た情動をはっきりと示す。

——ジェーン・グドール＆レイ・グリーク*1

講演中に、動物の情動について熟知しているフィールドガイドを知らないかと質問されたことがある。それに対し私は、「手始めに郵便配達か牛乳配達に質問してみればよい」と答えた。UPS〔アメリカ合衆国の貨物運送会社〕の配達員デーブは、私の知る誰よりもイヌの心をうまく読みとることができる。彼なら躊躇《ちゅうちょ》なく、イヌはさまざまな深い感情を経験していると教えてくれるだろう。何しろ、イヌは毎日、彼に向かって感情を露わにしているのだから。

動物はさまざまな情動を経験しており、それにはダーウィンの提起した六つの普遍的な情動、すなわち怒り、幸福、悲しみ、嫌悪、恐れ、驚きが含まれる。これらの情動のなかでも、私たちが見分けやすいものとそうでないものがあるのは、おそらく動物の表現能力よりも、それぞれの感情の繊細さの違いに由来するのであろう。なぜなら、動物が感じる幸福は真の幸福であり、悲しみは真の悲しみだからである〔よって動物の表現能力の違いによるものではないという意味であろう〕。事実、注意深く観察していれば、動物は心、純粋な情動、生きることへの熱意を表現していることがわかるはずだ。

本章では、データがもっとも揃《そろ》っている哺乳類を中心に、動物の七つの情動を検討する。それには明白な情動もあれば繊細なものもある。そして動物は、喜び、怒り、悲しみ、愛情を、熱心に分かちあうということを見ていく。また、きまりの悪さや畏怖を感じるかどうかを検討する。さらには、科学研究の対象になることはほとんどないが、動物のジョーク、およびユーモアの感覚を観察する。デーブならよく知っているはずだが、本章にあげる情動の一覧は、決してすべてを網羅するものではない。事実、動物の多くは、人間と同じくらい多様な情動を感じていると考えるべきさまざまな証拠がある。

ところで、情動の表現方法に関して（おそらくは感情に関しても）、種《しゅ》によって、また同じ種でも個体によって違いがあるという点を認識しておくことは重要だ。すべてのイヌやチンパンジーが、同じように喜び、悲しみ、嫉妬を経験し表現するわけではない。サム・ゴスリングらの研究では、人間同様、各個体は独自の「パーソナリティー」を有することが示されている。[*2] 動物は、大胆、内気、遊び好き、攻撃的、社交的、せんさく好き、冷静、愉快、外向的、内向的、支配的、従属的であり得るのだ。種間および個体間の相違は、動物の情動の研究をより困難にしているが、同時に興味深くもしている。よく言われるように、世の中を動かすにはあらゆるタイプの人々が必要だが、動物の社会においてもさまざまな「パーソナリティー」が必要なのである。

動物の感情を観察する
——情動を観察するための簡単なフィールドガイド

動物の情動は、ときに人間の情動よりも観察し理解しやすい。というのも動物は情動にフィルターをかけたりしないからだ。何を感じているかは、顔、尻尾、耳、においにはっきりと現われ、行動によって示される。つまり動物の情動は、なまのまま外に出され、見て、聞いて、かいで、感じることができる。そのことは誰にでもわかる。それどころか、デーブのような人にとっては、その理解は職業上必要なことでもある。

ただし、動物の情動の特定は、社会的な行動の理解とは異なるという点には十分な注意が必要だ。

イヌがじゃれているとき、そこに喜びを認めるのは簡単だが、第2章で紹介した「プレイバウ」のような、喜びの表現を示す際に見られる複雑なやり取りや行動を正しく解釈するためには、トレーニング、経験、調査が必須の要件になる。本書のカバーの写真は、もう一つの社会的な身振り《ジェスチャー》の例で、中位の黒オオカミ、モトモが群れの最上位雄カモッツの顔をなめているところである。この身振りは服従を表わし、このような行動は社会的な絆を強化し、群れの統合を維持するのに役立つ。ここに（攻撃とは正反対の）愛情を見てとるのは簡単だが、この二個体の関係や群れの力学に関する知識がなければ、なめる行為が友好的なものか、オスメスの関係によるものか、はたまた母子関係によるものなのか、あるいは毛繕いをしているのか、なだめているのか、それとも慰めているのかを判別するのはむずかしい。

事実、オオカミなどの社会的動物の群れは円滑に移動する必要があり、そこではより微妙な情動が作用している。各個体は、他の個体が何をしているのか、あるいはしようとしているのかのみならず、何を感じているのかを知らねばならないのだ。高度に社会的なオオカミと、それほど社会的ではないコヨーテやイヌを比べてみれば、前者の表情のほうがより変化に富んでいることがわかる。オオカミは多様な表情を通して、自己の情動の状態を他の個体に伝えようとしているのだ。尻尾も、コヨーテやイヌよりオオカミのほうが表現力に満ちており、後者はより多くの尻尾の位置を用いて情動を表現しようとする。

とはいえ、動物の行動に基本的な情動を見分けるのは驚くほど簡単だ。見て、聞いて、かぐだけでよい。顔や目、あるいは振る舞いを観察して、彼らが何を感じているのかをかなりの精度で推測できる。筋緊張、姿勢、足どり、表情、目の大きさや凝視の度合い、発声、におい（フェロモン）はすべて、単独もしくは組みあわせによって、特定の状況に対する情動的な反応を表現する。観察者はこれらの側面に意識的に気づく必要すらない。動物をただ観察していれば、人は情動を、直観を通して正しく感じとれるものなのだ。

フランソワーズ・ウィメルスフェルダーらの広範な調査はこの点を明確にしており、彼女たちは、さまざまな研究で、（訓練を積んだ科学者ではなく）一般の人々でも、動物の情動を一貫して正確に見分けられるということを示している。[*3] 私たちは、自身の見方があまりにも主観的で、ものごとを正しく見分けられるはずはないと思っているものだが、ウィメルスフェルダーらによれば、情動に関して言えば、実際にはかなり正しく判断できるのだ。

ウィメルスフェルダーは、彼女が「自由な選択による描写（Free-Choice-Profiling）」と呼ぶ方法を用いる。彼女は次のように言う。

問われるべきは、自分の判断に対して人々の同意が得られるか、そして、科学的なツールとしてその判断を用いることができるかだ。そこで私たちは、訓練を受けていない一般人を集めて、動物と人間がやり取りをしているところをしばらく見せた。動物のほとんどはブタだった。ブタは一般に、活発で、好奇心が強く、高度に社会的な動物であり、機会があれば積極的に環境と関わろうとする。観察している被験者には、（……）ブタの表情をうまく表現する言葉をいくつか書き出すように言った。その際、自分自身の言葉で表現させた。なぜなら、観察者は、先入観やお決まりの言葉に限定されるのではなく、自分が見たありのままを統合して考える必要があるからだ。[*4]

ウィメルスフェルダーは、「自由な選択による描写」を何年も試して、それが有効であり、実際に評価ツールとして研究に使えることを確認していた。彼女は次のようにコメントしている。「学生、科学者、ブタを飼育する畜産家、獣医、動物保護運動家の別を問わず、被験者によるブタの表情の判断には高い一致が見られた（それらのグループのあいだでもグループ内でも）。被験者は自分の言葉によって、個々のブタの表情を何度も正確に特徴づけられる、有意義で一貫した意味の枠組みを生み出したのだ」。

他の研究者も同じ結論に達している。[*5]観察対象がオオカミであれ、イヌであれ、ネコであれ、被験者は訓練を積んだ科学者とほぼ同程度にうまく情動を識別できたのだ。ということは、動物の情動がそれほど隠されたものではないか、あるいは人間には他の動物種の情動を見分ける自然な能力が備わっているかのいずれかになる。私は、多かれ少なかれその両方が関わっていると考えている。ぜひ、今度公園に行ったときには自分で試されたい。公園で遊んでいるイヌは何を感じているのだろうか？　それを見極める際、いくつか注意すべき事項がある。

愛情は空中に拡散する

動物が感情を伝達する一つの方法はにおいである。一般に科学者は嗅覚を用いるのがあまり得意ではない。しかし動物は違う。彼らにとってにおいは、強力な情報伝達手段になるのだ。そのことは、次にあげる「マスト」〔オスが発情によって一定期間凶暴になることをいう〕を経験するオスのゾウの生き生きとした描写によってよくわかるだろう。

彼は、熱い血がたぎる壮年期のオス（三〇歳）だ。ほおには粘液がにじみ、緑の尿が脚を伝って流れ落ちる。ペニスは緑の光沢を放ち、彼が放散するにおいは一キロメートル近く離れていてもわかるだろう。耳を前後にはためかせ、低いとどろき声をあげる。その表情は自信に満ちている。何しろ彼の魅力にあらがえるメスなどほとんどいない。どこかで聞いたような話ではないか。いやそのはずはない。彼はマスト期、すなわち発情期にあるオスのゾウなのだから。性的に成熟したオスのゾウは、毎年一、二か月間のマスト期を経験する。彼らは特にそれを隠しはしない。バスケットボール大に肥大することもある、ほおの上の球根状の腺からさまざまな化学物質を放ち、一日に三〇〇リットル（バケツ二四杯）以上の尿を放出する。驚くべきことではないが、ヤギの群れのようなにおいがする。さらに言えば、オスのゾウは、こうして性的な能力を見せびらかしているあいだに一種のパーソナリティーの変化を遂げる。事実、マスト

（musth）という用語は、酔っ払いを意味するペルシア語の言葉にその起源を持つ。マスト期にあるオスは、恐ろしく攻撃的になり、おそらくはテストステロンのレベルの上昇のためか（六〇倍にまで上がり得る）、セックスに取りつかれる。[*6]

マスト期にあるオスのゾウには、誰も鉢合わせしたくないだろう。興味深いのは、マスト期には急激かつ明らかなパーソナリティーの変化が見られるばかりでなく、当のオスが、他のオスを警戒させると同時に、関心のあるメスにはっきりと自分の意図を伝えられることだ。「マストは、ゾウ版の高級アフターシェーブローション、あるいは派手な高級車といったところで、その個体の年齢、地位、性と生殖に関する健康《リプロダクティブヘルス》について、オスメスを問わず他の個体に伝え、自らの生殖の成功率を上げるものと考えられる」。

これらすべてに関与しているフロンタリンと呼ばれる化学物質は、ほおの汗腺から分泌され、また息や尿にも含まれる。それによって当のオスは自分の意図とオスらしさを主張し、メスは彼の繁殖成功度を評価し、他のオスは争う前に彼の強さを判断するのだ。この信号伝達方法の正確さは哺乳類に特有のものに思われるかもしれないが、哺乳類以外の動物も意図の伝達ににおいを用いている可能性は否定できない。

顔について

動物の感情を評価する際には、顔も非常に重要になる。チャールズ・ダーウィンやその後の研究者は、他者の情動の理解には顔の表情が重要であることを強調している。最近、レオナルド・ダ・ヴィンチのモナリザは、実際に幸福を感じていると判定された。[*7] アムステルダム大学で情動を認識するコンピュータープログラムを走らせ、モナリザの唇の湾曲や目のまわりのしわをもとに分析したところ、そのような結論が得られたのである。もしかすると彼女は、妊娠しているか出産直後かもしれないとのことだ。それが正しいのかどうかは私には判断できないが、いずれにせよ顔は、他人がどう感じているのかを、また、これから何をしようとしているのかを推測する際にはきわめて重要な情報源になる。哺乳類は、種の境界を越えて数多くの表情を共有していることが研究によって判明している。したがって私たちは、無声映画の女優が何を表現しようとしているのかがたちどころにわかるように、サルが何を感じているのかを推測できるのである。明らかに私たちは、イヌやその野生の近縁種がさまざまな状況下で示す、しかめつら、歯を見せながらの怒りのうなり声、プレイ時の口を開けてのあえぎなどの表情を読みとる能力を持っているのだ。

爬虫《はちゅう》類、魚類、鳥類などの動物は、表情を欠いている。この事実はこれらの動物の感情を読みとりにくくしているが、だからといって彼らが何も感じていないということにはならない。事実、動物行動学的、神経生物学的な研究によって、魚類は意識、知性、感覚能力を持ち、自分の好みを表現できることを示す説得的なデータが得られている。魚は、単なる食品タンパクの供給源などではない。またのちに取り上げるように、鳥は唇や眉なくして情動を表現する。

私の目を見て

ゾウは一年中やって来る。（……）ときに彼らは、巨大な尻をわが家の草ぶき屋根に向け、至福の喜びを感じているかのごとく目を閉じて、ざらざらした草でその厚い皮膚を掻《か》いている。

――ディーリア・オーエンズ『サバンナの秘密（*Secrets of the Savanna*）』[*8]

だが、もっとも心配なのは、ブルーの巨大な茶色の目に、新たな表情が浮かんでいたことだ。それは絶望よりも痛ましかった。人間や生命に対する嫌悪、あるいは憎しみの表情だったのだ。

――アリス・ウォーカー『私はブルー？（*Am I Blue?*）』[*9]

もちろん、顔について語るとき、実際には目について語っていることが多い。目は、その人の持つ情動の世界への窓を提供する、すばらしくも複雑な器官だ。人間同様、多くの動物においても、目は、喜びで見開いていようが、絶望に沈んでいようが、その個体の感情を反映する。それは感情を呼び起こす神秘的で直接的なコミュニケーションの手段なのだ。

イエローストーン・オオカミ再導入プロジェクトを率いるダグ・スミスは、ファイブという名のオオカミの目に見入ったときのことを報告している。「最後にファイブの目に見入ったとき、（……）彼女は群れが仕留めたヘラジカから歩み去るところだった。（……）私たちが上空を飛んでいると、彼女はいつものようにこちらを見上げた。しかし私を見る目の表情は変わっていた。野生のオオカミの目を凝視することは、自然の愛好者にとってもっとも神聖な体験の一つだ。そこには飼い慣らされてはいない無垢《むく》の自然を見出せると言う者もいる。（……）一月のその日、ファイブの目から何かが消えていた。心配そうな表情をしていた。それまでは、彼女の目はつねに挑戦的な光を放っていたのに」[*10]。

情動を読みとるにあたって、目はプレイバウのような身振りほどはっきりした情報を与えてくれるわけではなく、個人の解釈や直観が重要な役割を果たす。だが、動物同士のコミュニケーションにおいては、相手の目を凝視することほど直接的な手段はない。私たちにはその意味がわからなくても、その動物の感覚能力をもっとも豊かに伝える手段は目なのだ。二〇〇六年にチャールズ・シーバートは、『ニューヨーク・タイムズ・マガジン』に、巨大なミズダコ、アキレスの「人を動揺させる黒い目」について記したエッセイを投稿している。そこにはこうある。「アキレスの目こそ、（ローランド・）アンダーソンの特別な許可をもらってでも、戻ってきて一人で見入りたいと思ったものだ。私とアキレスだけの世界で」[*11]。

動物の凝視には迷いがない。動物の目は、その個体がいま何を必要としているのかを教えてくれる。たとえば、よく知られたリック・スウォープとジョジョのストーリーでは、目が重要な役割を果たしている。[*12] デトロイト動物園のチンパンジーコーナーの前で、体重およそ六〇キロの年長のオスのチンパンジー、ジョジョが、若い攻撃的なオスに追われて敷地内の堀に飛び込み、溺れそうになっているところを見ていたリックは、彼を助けるために柵を乗り越えて入っていった。他の三頭のオスがリックを威嚇し始めたので、彼はいったん外に出なければならなかった。しかし、しばらくしてからもう一度中に入り、ジョジョを救うことに成功した。再三の警告にもかかわらず、そのような行動をとった理由を尋ねられた彼は、「目を覗《のぞ》き込んだんだ。人間の目を見ているように感じた。まるで〈誰も助けてくれないのか？〉と言いたそうだった」と答えている。最近のことだが、わがホームタウン、ボルダーの近くに住む三人の男が、車にはねられた若いピューマを救おうとした。彼らが記者に語ったところによると、ピューマの目が、助けを求めていたのだそうだ。[*13]

人間の恐れに関する最近の研究によって、情動の認識にアイコンタクトが重要な役割を果たしていることが実証されている。[*14] また、他人の恐れの感情を知るのに目がきわめて重要であること、したがって人間は他人が恐れを抱いているかどうかを知るためにその人の目を見ようとすることがわかった。この研究では、扁桃体と呼ばれる脳の領域に損傷を受け、他人の顔に恐れの表情を認知できなくなった女性を対象に調査が行なわれている。それによってわかったところでは、彼女が恐れを認識できない理由は、他者の目に対し自然に視線を向けられないために、恐れの表情を無表情としてとらえていたからだ。前段のストーリーが示すように、動物の恐れを認知する際にも目は重要であり、おそらくは他の情動の認知に関しても同じことが言えるのだろう。

ネコの目は私が科学者になるのに重要な役割を果たした。かつて私が関わった博士研究では、研究に用いたネコを殺さなければならなかった。しかし、密かに私がスピードと呼んでいた（密かにとは、「研究対象」に名前をつけるなどもってのほかだったからだ）、とても知的なネコを研究のために檻《おり》から出そうとすると、今日が最後の日だということがわかったかのごとく、いつもの彼の大胆不敵な性格が影を潜めていることがわかった。抱きかかえると、私を見て「どうしてボクなの？」という目をする。私の目には涙が浮かぶ。彼はその視線をそらそうとはしない。結局規定どおりに彼を殺したが、それは恐ろしくつらいことだった。今でも彼のおびえた目をはっきりと覚えている。そしてその目は、果てしない苦痛と、耐え忍ばねばならない自己の尊厳の侵犯を、余すところなく私に物語るのだ。他の研究者は、私の気持ちを察して、それには十分な価値があるのだと言ったが、この経験は今でも忘れられない。

このことがあって、私はそのプロジェクトを抜け、動物に名前をつけることが許されているばかりか、奨励さえされる別のプロジェクトに参加し、実験に用いた動物を痛めつけたり殺したりする研究は二度としないと心に誓った。

頭部をこすりつけ、ウインクをする——感謝の表現

科学的な厳格さをもって情動を特定するには、相応の手際を要する。科学者は通常、観察が行な

われる広範な文脈を見渡しながら、実験対象の動物が示す態度、行動、表現のすべてを考慮しなければならない。とはいえ、それでも直観は無用ではない。例として、クジラは感謝の念を示すことができるのかを検討してみよう。読者なら次のストーリーをどう考えるだろう。

二〇〇五年一二月、全長一五メートル体重五〇トンのザトウクジラのメスが、カニ漁のために張り渡したワイヤーに絡まってしまい、その重みで噴水孔を海面に出すことが困難になった。[*15] 何人かの勇敢なダイバーが彼女を救助すると、クジラはダイバー一人一人に対して頭部をこすりつけ、前びれをはためかせた。あるクジラの専門家は、その様子を「きわめてまれな注目すべき遭遇」とコメントしている。ダイバーの一人ジェームズ・モスキトは、クジラが苦境に陥っているのをただちに見て取った。「ワイヤーが絡んでいるのを見て、私の心は沈んだ」と彼は述べる。また、クジラを救出したあと、「クジラは、私たちに助けられ自由になったことを知って、感謝しているように見えた」「すぐそばまで近寄ってきて、ちょっと私を小突いて、楽しそうにしていた」と言う。さらに救出中のことに関して、「口のなかに食い込んでいるワイヤーを切る際、その目は私を見ながらウインクした。（……）それは私の人生のなかでも最高の瞬間だった」と述べている。

別のダイバー、マイク・メニゴスは、「過剰な擬人化はすべきではないのかもしれないが、私たちはクジラと肩を並べるようにして潜ったんだ。（……）クジラが何を考えていたのかは知るよしもないが、あのときの体験は忘れられない。とてもすばらしかった」と、その時覚えた深い感動について語っている。

人生を変えるようなできごとを体験するなかで、ダイバーたちは、深い思いやりの感情と、苦境に陥ったクジラへの共感を覚え、彼らの思いやりに対する反応とおぼしきクジラの行動、すなわち巨大なクジラの感謝について語った。このように、「人間」の感情を動物に投影するのは、きわめて自然なことだ。実際、クジラの行動を表現できる唯一の言葉は、人間の情動領域に関するものである。仮に、人間の言葉はクジラの情動を表現するには不十分だったとしても、だからと言って、クジラが何も感じていないことになるのだろうか？　他に有力な説明があるのだろうか？

確かに、しばらくしてから、それとは異なる説明が提起された。『リーダーズ・ダイジェスト』誌に掲載された記事のなかで、カリフォルニア州サウサリートにある海洋哺乳類センターの獣医フランシス・ガランドの次のような言葉が引きあいに出されたのだ。「おそらくクジラは、長時間不自然な体勢を強いられていたので、円を描きながら泳いでいたのだろう。ダイバーは、彼女がちょうど運動しているところに居合わせたにすぎない」[*16]。

だが、ダイバーの誰も、クジラが「運動」していたとは感じていない。では、彼らは単に何も感じていないクジラに感謝の感情を投影したにすぎないのか、それとも一般には知られていないクジラの情動的な身振りを直観的に把握したのか？　この問いは、私たちが自分で判断しなければならない。この擬人化の問題（それが実際に何であり、そもそも悪いことなのかどうか）については、第5章で詳細に検討する。とりあえずここでは、「動物は、人間がごく自然に理解できるような方法で、情動を表現する」という、私たちが通常抱いている直観的な知見の正しさがハードサイエンスによって実証されつつあるという点を指摘しておきたい。

純然たる喜び

倦怠《けんたい》、苦痛、恐れ、怒りなどのネガティブな情動についても多くの研究があるが、本節では快や喜びなどの、よりポジティブなものに焦点を絞る。ポジティブな情動も、いくつかのネガティブな情動と同様、多くの哺乳類が共有する古い大脳辺縁系に由来する。人間の情動と表情の研究の第一人者ポール・エクマンは、「喜びの追求は、私たちの生活のなかで主要な情動として機能している」というダーウィンの見解を支持する。[*17] 人間に関してそう言えるのなら、同じことは動物にも当てはまるはずだ。

動物を観察していてわかるのは、明らかに彼らが楽しんで生きているということだ。動物は、たとえばじゃれているとき、二頭で毛繕いをしあっているあいだ、野外に放たれた際、歌っているとき、あるいはおそらく他の個体が楽しんでいるところを見ているあいだなど、さまざまな状況下で大きな喜びを経験している。喜びは、伝染病のように迅速に伝播する。一頭のチンパンジーが出産したあと、彼女の仲間がかん高い声をあげて別の二頭のチンパンジーと抱擁しあっていたという話を、ある研究者から聞いたことがある。[*18] この仲間は、それから数週間にわたり、このメスのチンパンジーとその子どもの世話をしていたのだそうだ。

喜びや幸福は、はっきりと行動に表われる。あたかも四肢が輪ゴムで胴体に結わえられているかのように、リラックスしてゆったりと歩くのだ。そして独自の言葉を使う。のどを鳴らし、ほえ、歓声をあげるのだ。幸福を感じているときのイルカは、くすくす笑いをする。リカオンは、あいさつの儀式を行なう際、歓声をあげ、尻尾をプロペラのように回転させ、跳ね回る。コヨーテ同士、あるいはオオカミ同士が再会するとき、鼻を鳴らし、ほほえみ、尻尾を激しく振りながら、互いに向かって駆けていく。そばまで駆け寄ると、鼻をなめあい、転がり、足を激しく揺り動かす。ゾウが再会するときには、騒々しい儀式が繰り広げられる。耳をはためかせ、回転し、「あいさつのとどろき声」を発するのだ。このような行動があたりはばからぬ喜びの表現でないとしたら、それはいったい何なのか？　またもや運動とでも言うのだろうか？

ロザムンド・ヤングの著書『乳牛の秘密の生活（*The Secret Life of Cows*）』によると、ニワトリさえ遊び《プレイ》をし、賢く、むら気があり、情動的で、仲間関係を形成する。*19 ニワトリが、工業型農畜産業によって用いられているさまざまな手段によって、不快や苦痛を被《こうむ》っていることを見て取るのはたやすいが（足のけが、骨折、くちばしの切断《ビークトリミング》、羽つつき、とも食い、関節の障害）、彼らが楽しんでいるかどうかを知るのはとてもむずかしい。とはいえ、他の動物と同様、ニワトリも遊びを楽しむと仮定することは、まったく理にかなっている。ヤングは、乳牛もゲームをしあい、生涯にわたる仲間関係を築くと述べる。また、すねたり、恨みを抱いたり、無為な行動をとったりもするのだそうだ。

感覚を通して報酬を与えるシステムが進化によって選択された理由は、それらが生存と生殖を促進するからだと、動物愛好家で動物行動学者のジョナサン・バルコムは主張する。私たちは快を与えてくれるものを好む。よって進化は、私たちがしなければならないことを快く感じられるようにしたのだ。バルコムの著書から引用しよう。

科学者はこれまでずっと、他の生物が何を感じているかを確実に知ることは不可能であるという理由によって、動物におけるポジティブな感覚の存在を否定してきた。しかし説得的な反証もない点を考えれば、進化の起源を一にする人間と多くの能力を共有する動物は、喜びを経験していると仮定するほうが、より理にかなっている。確かに私たちは、ハチドリがスイカズラの蜜を吸い、イヌがボールを追い、ウミガメが日光浴をしているときに、彼らが何を感じているかを知ることはできないが、類似の経験に基づいて想像してみることは可能だ。自らの経験に基づいて共感を働かせながら、実際に動物を観察してみれば、動物の世界が喜びに満ちているということをまず疑えなくなるだろう。そして、その認識が高まるにつれ、証拠は累積していくだろう。というのも、探そうと努力しさえすれば、探し物が見つかる可能性は高まるからだ。[*20]

動物は喜びを感じるという証拠はすでにいくらでもあり、ほぼ議論の余地はないと言っても差し支えない。二〇〇五年に参加した、動物の感覚能力をテーマとする会議では、ブリストル大学で畜産学を専攻しているジョン・ウェブスター教授が、次のように述べた。「感覚能力を備えた動物は、喜びを経験する能力を持ち、それを求めるよう動機づけられている。（……）そのことは、イギリスの暑い夏の日の太陽に向かって頭をあげながら寝そべり、快感を求め享受している乳牛や子羊の様子を見ていればすぐにわかる。まるで人間のようだ」[*21]。

ジョナサン・バルコムも格好の例をあげている。

バージニア州アサティーグを訪ねた折に、不似合にも沼地から突き出した古い木製の広告板に止まっていた二羽のウオガラスを見ていた。しばらく止まっていることを期待して、望遠鏡をそちらに向け焦点を絞った。最初はフライトプレイ〔高いところから乾いた木の葉を落とし空中でキャッチするというプレイ〕に興じていたが、次の一〇分は、一羽（つねに同じ個体）がもう一羽に何度もにじり寄り、もたれかかり、くちばしを下に向けてうなじをさらしていた。もう一羽のほうは、寄生虫を探すかのように、くちばしで羽を穏やかにすいてそれに応えていた。つがいか、よき仲間同士であったことにまちがいはない。二羽の交流は、二人の人間がマッサージをしあったり、抱きあったりするときと同じように、与え手にも受け手にも快感をもたらしていたに違いない。

動物の喜びは、目で確認できるものだが、神経生物学的な研究、すなわち「ハードサイエンス」によっても、遊びや笑いの効果が実証されている。

遊びの化学

社会的な遊びは、快を感じるとともに、生存にとって重要な行動を示す格好の例の一つだ。遊びによる喜びの共有は、個体同士を結びつけ、互いのやり取りを調節する。遊びはそれ以外の行動から容易に見分けられる。動物は、遊びに没頭し、アクロバットのような動きや、嬉しそうな声や、笑みによって歓喜を表現するのだ。そして思い切り遊び、消耗し、休み、また遊びという周期を繰り返す。

遊びが楽しいものであることは、化学によっても裏づけられている。神経科学者スティーブ・シヴィーは、ドーパミン（とおそらくセロトニン、ノルエピネフリン）が遊びの調整に重要な役割を果たしており、遊んでいるあいだは脳の広範な領域が活性化することを見出した。[*22] ラットの場合、遊びへの期待だけでドーパミン関連の活動が増加する。

これらの発見は、遊びが楽しく感じられる理由を説明し、また、人間か動物かを問わず、遊んでいるあいだ同じ化学的な変化が生じることを示している。言い換えると、庭でふざけあっている少年と愛犬は、どちらも遊んでいるばかりでなく、自分たちが遊んでいるということを、そしてともに喜びを感じているのだということを理解している。

笑い

笑いは人間に特有なものではない。イヌが笑うことを示す、科学的に確かな情報がある。イヌが興奮したり遊んだりするときには、動物行動学者パトリシア・シモネが「呼吸音のまじる、強いられた呼気」と呼ぶ発声を聞くことができる。[*23] シモネは、イヌの笑う声には、たとえ遊んでいないときでも、それを聞いた他のイヌを落ち着かせる効果があると言う。ラットも喜びの鳴き声をあげる。まちがいなく、他の動物も同様であることが今後の研究によって明らかにされるであろう。

ジェーン・グドールによると、メスのチンパンジーは、棒で性器をくすぐって笑うことがあるそうだ。笑いや、プレイパンティング〔play panting: "panting" にはあえぐ、息を切らすなどの意味がある〕などの発声は、社会的な遊びの交換において重要な役割を果たしているらしい。霊長類学者の松阪崇久によると、野生のチンパンジーが社会的な遊びのなかで行なうプレイパンティングは、くすぐる、追いかけるなどの行為の継続を促し、遊びが攻撃に転化する危険性を低下させる。[*24] また、神経科学者ロバート・プロヴァインによると、笑いは遊びの際の努力呼吸から進化し、「気に入った。もう一度してほしい」という意図を伝えるのだそうだ。

笑いに対応する神経回路は、脳の非常に古い領域に見出せる。神経科学者ヤーク・パンクセップは、「人も含めた哺乳類の遊びの研究によれば、遊びや笑いの脳における源泉は、本能的で、皮質下に存する」と述べている。[*25] 神経化学物質ドーパミンも、人とラット双方の笑いに関係する。

パンクセップは「くすぐりがカギになる。（……）それは未知の世界を切り開く」と言う。くすぐられたラットは研究者とつながりを持ち、さらにくすぐってもらおうとする。ここでも、感情が社会的な接着剤として機能しているのだ。ラットは気分がすぐれているときだけ笑う。それは、すべてがうまくいっているときにのみ動物が遊ぶのと同じことである。

「それは子どもの態度に似ている」とロバート・プロヴァインは言う。[*26]「くすぐりと笑いは、母と子のあいだで最初に用いられるコミュニケーション手段である。だから笑いは、生後およそ四か月の乳児にも見られるのだ」と続ける。

人間においては、乳児のそのような行動の重要性は明らかであり、他の動物のあいだでも同様であることが判明しても、さして驚きではないだろう。本節で見てきたように、動物の笑いの研究はばかげたものでは決してない。ならば、動物はジョークを理解できるのだろうか？

スタンダップ・コメディアン
――ユーモアのセンスを持つ動物

動物の喜びと幸福の感情を引き起こす神経化学物質の発見はさておき、もっと複雑な意図的思考や情動を、正しく見分け特定するにはどうすればよいのだろう？　笑う能力を持っているのなら、動物はジョークを発することができるのだろうか？　ペットを飼っている人の多くは、イエスと答えるのではないか。動物がいわゆるユーモアのセンスを持っていることを、自分の経験によって知っているはずだ。農夫は、ロバのそばにいるときには用心を怠らない。私の今は亡き愛犬ジェスロは、お気に入りのおもちゃ、ウサギのぬいぐるみを口にくわえて、そこら中を走り回っていた。走りながら拾い上げて、あっちへ行ったりこっちへ行ったりしているあいだに、振り返って誰かが見ていることを確認し、そうであればこの熱狂的な遊びを続けた。その様子を見た友人と私はいつも笑っていたが、それがジェスロの求めるごほうびだったのだろう。

他の逸話的な証拠によれば、動物は楽しむばかりでなく、楽しめるよう工夫したり、ジョークを発したり、ドタバタコメディを演じたりもする。以下の三つのストーリーは友人から聞いたものだ。ジャスパー〔第1章を参照〕を救ったアニマルズ・アジアの創設者ジル・ロビンソンは、彼女が救った別のツキノワグマについて次のように語ってくれた。

ツキノワグマは寄って集《たか》って一頭をからかうことがある。実際、私たちは、あるメスのグループを、愛情を込めて「編み物サークル」と呼んでいる。というのも彼女たちは、日がな一日ゴシップに明け暮れ、排他的な自分たちのグループに近づいてくる者は誰であれ、皆で追い払おうとする年配のご婦人たちを思い起こさせるからである。野生の状態では単独で行動するとされている動物に、そのような関係が見られるのは尋常ではない。一頭のクマが、別のクマの注意がそれるのを待って、エサや玩具をくすねることがよくある。どのケースでも欲張りな一頭が、タイミングを見計らって兄弟姉妹から盗みを働くのだ。よほど大きな苦痛やストレスを受けていなければ、彼らのおふざけやいたずらの感覚は失われない。

ミム・アイクラー・リーヴァスは、『美しきジム・キー――世界を変えたウマと男の忘れられた歴史（*Beautiful Jim Key: The Lost History of a Man and Horse*）』で、驚嘆すべきユーモアのセンスを持った美しきウマ、ジム・キーについて記している。ジム・キーのユーモアは、「彼を溺愛する人間の家族から、疑い深い記者、はたまた大統領、議員、市長、さらには彼がどれほど賢いかを調査するために派遣されてきたハーバード大学の教授団に至るまで、誰もが認めた」。

ミムは私に次のようなコメントを送ってきた。

「読み」「書き」「計算」などの知的な離れ業のいくつかは、丸暗記、あるいは主人のウィリアム・キー博士の与える何らかの誘導要因によって説明できるのかもしれません。たとえば、ジムがイヌのまねを始めたとき（棒をつかみ、まわりに注意を払いながらお座りをし、転がり、死んだふりをした）、博士の笑いはジムにとっては明らかにごほうびだったのです。

しかし、博士が予期していなかったのは、ジムが即席で独自の演技をする場合があることです。たとえば、五〇〇ドルでジムを買いたいというある男の申し出を、博士が熟慮しているふりをすると、健康で体格のよいジムが、よろよろとくずおれて死んだふりをしました。博士が

「ジムは売り物ではない」と言うと、このウマの役者は即座に立ち上がったのです。彼のユーモアと魅力は、記者の頑《かたく》なな心をも融かしました。博士はよく、記者たちを自分抜きでジムに引きあわせるようにし、スペリングボードに単語を綴らせたり、レジから釣銭を引き出させたりするよう彼らに言いました。さらに、「ジムはスターだから特別なごほうびをあげなければならない。リンゴかナシをポケットに忍ばせておきなさい」と念を押しました。ところがある記者は、その助言を忘れて何も持っていきませんでした。博士は、記者とジムだけを残して立ち去り、しばらくしてから戻ってきて、「やあ、どうだったかい?」とジムに尋ねました。するとジムはスペリングボードに一字ずつ単語を綴り始めました。そしてできた単語は「FRUITLESS（「成果がなかった」という一般的な意味と、「フルーツがなかった」という文字通りの意味が掛けられている）」だったのです。その記者はただちにジムの信奉者になったそうです。

著名な映画プロデューサー、マイケル・トバイアスは、彼と妻のジェーンが数十年間飼ってきた大きなコンゴウインコにまつわるエピソードを語ってくれた。それによると、彼らは実際に、このすばらしい鳥の皇帝を、文字通り四つん這《ば》いになって世話をしていたのだそうだ。このコンゴウインコ（マイケルは名前を教えてくれないが）は、高等教育を受けたほとんどのホモ・サピエンスより、多数の時制を操ることができた。また彼は、単純な分析を受けつけない、コンゴウインコ独自のボキャブラリーを持ち、ユーモアと遊びの感覚を備えていた。

　彼はくすくす笑いをしたかと思えば大声で笑い、近寄る者は誰でもからかった。喜びでかん高い声をあげながら、家の周囲を走り回り、飛び上っては木に止まったり下りたりし、「マジック・カーペット」をして遊んだ。「マジック・カーペット」とは、奴隷役の人間が、鳥を乗せた大きなタオルを引きずりながら廊下を走るという遊びのことだ。マイケルは、さまざまな鳥に笑いを確認しているが、とりわけオウム類はもっともウイットに富んでいると考えている〔コンゴウインコなどのインコもオウムの仲間に入る〕。笑うのみならず、タイミングが完璧なのだそうだ。その大きなくちばしで投げた小さなフリスビーをマイケルが取り損なったり、それが顔面に当たったりすると、コンゴウインコはヒステリックに笑いながらあわや地面に落ちそうになる。また、人間はわきの下がくすぐりに弱いことを知っていて、そこを目がけてまっすぐに飛んでいき、マイケルが涙を浮かべながら笑い転げるまでくちばしでつつく。

　これについてマイケルは次のように述べる。


おおかたの人間より長生きし、見苦しく何事にも無関心な肉食らいのホモ・サピエンスに知性で勝るコンゴウインコは、人類が生息地を侵犯し、暴虐の限りを尽くすのをやめない限りいずれ絶滅するだろう。そんな狂った世界で生きるコンゴウインコがユーモアのセンスを発揮し、信頼するわずかな人間と喜びを分かちあえるのなら、私たちは、畏怖の念すら覚えさせる無垢の自然に十分な関心を向けなければならない。コンゴウインコの笑いを賛美し、その真価を認められないのなら、また、動物が私たちに与えてくれる対話の機会を拒否するのなら、さらに言えば生命の純然たる奇跡を前に謙虚で穏やかな態度をとれないのであれば、人類は、進化の歴史において最速、最悪、そしてもっとも卑劣な失敗例を残して没落していくことだろう。そうならないよう賢明でいたいのなら、寛大なコンゴウインコが与えてくれる教訓をしっかりと心に留めておくべきだ。手遅れにならないうちに。

チンパンジーと滝
――畏怖や驚嘆の念

かくして人間とのふれあいのなかでユーモアや喜びを表現できるのなら、動物は、周囲の世界に畏怖を感じたり驚嘆したりすることもあるのだろうか？　生きる喜びを感じているのだろうか？　感じているのなら、それをどう表現しているのだろう？　野生動物は九〇パーセント以上の時間を休息に費やしている。彼らは周囲をじっと眺めながら何を考え、そして感じているのか？　ぜひ知りたいものだ。科学はそのたぐいの情動を正確に測定することはできないが、逸話的な証拠や注意深い観察によって、驚異に似た感情の存在が確認されている。

私の学生がかつて言ったことだが、動物はときに「ただ狂ったように興奮する」。実際、二〇〇五年七月にケニアのナクル湖で、若いクロサイがそのように振る舞っているところを見たことがある。母親が注意深く見守るなか、発作でも起こしたかのごとくそこら中を走り回っていた。何がそのような行動を引き起こしたのだろうか？　気分がよくなるからそうしていたとしか考えられない。母親以外に仲間のサイは一頭もいなかったのだから。

また、滝のそばでダンスをするチンパンジーがいる。その光景を目撃するのは実に楽しい。ときにチンパンジー（通常は成体のオス）は、滝のそばで無我夢中になってダンスをする。なぜか？　この行動は意図的なものだが、何のためかはよくわからない。生きる喜びを表現しているのだろうか？　それとも自然に対する畏怖の念を表しているのか？　それに関連して言うと、人間のスピリチュアルな衝動の起源はどこに求められるのだろうか？　ジェーン・グドールは、このダンスが宗教的な儀式の起源を成す行動なのかどうかを問うている。彼女の記述によれば、「一頭のチンパンジーが、毛をいくぶんか逆立てて興奮の高まりを示しながら滝に近づく。近づくにつれ滝の轟音《ごうおん》はますます激しくなり、歩くペースは速まる。やがて毛は完全に逆立ち、川にたどり着くと滝壺《たきつぼ》の近くですばらしい演技を披露する。まっすぐに立ち、体を左右にリズミカルに揺り動かし、流れの速い浅瀬で足を踏み鳴らし、大きな石を拾って放り投げる。ときどき高木から垂れ下がっている細いつるをよじ登り、滝に向かって体ごとスイングさせ、しぶきを全身に浴びる。このダンスは、一〇分から一五分続くことがある」[*27]。チンパンジーはまた、豪雨が降り始め、強風が荒れ狂うとダンスをする。グドールは「畏怖や驚嘆に似た感情に突き動かされて、そのような行動をとっているのだろうか？ ダンスが終わると、チンパンジーは岩の上に座り、流れ落ちる川の水を目で追っていることがあるが、このチンパンジーにとって、それはいったい何を意味しているのだろう?」と問う。

また、次のように問いかける。「チンパンジーが感情や問いを共有できるのなら、これらの根源的な野生の行動は、一種のアニミズムへと儀式化されていく可能性があるのではないか? 彼らは滝、豪雨、雷、稲妻、あるいはもしかすると自然の神々を崇拝しているのだろうか? 強大かつ不可解な何ものかを」。

グドールは、たとえ一瞬でも、動物の心を覗き込んでみたいと言う。星を見上げる動物が、そこに何を見、どう感じているかがわかるのなら、研究にかかる時間と労力はさして問題ではない。二〇〇六年六月、ジェーンと私は、スペインのジローナ近郊にあるモナ財団のチンパンジーサンクチュアリ〔サンクチュアリは、野生動物や、動物園などから引き取った動物の保護を目的とした場所あるいは施設〕を訪ねた。そこで私たちは、救助されたチンパンジーの一頭マルコが、雷雨のなかで、トランス状態に陥ったかのようにダンスをすると聞かされた。おそらく無数の動物が、そのような儀式を行なっているのかもしれないが、実際にそれを見る機会にはなかなか恵まれない。

私も、たとえ言葉にはできなかったとしても、イヌやオオカミの心を覗いてみたい。それはどんなにすばらしい体験なのだろう?

悲しみ

悲劇は一九九七年に襲った。つがいの相手サーティーンは、フォーティーンより年長だった。（……）三月に、サーティーンの首輪が、次第に高まっていくビープ音を発した。彼は死んだのだ。それからフォーティーンは、一度も足を踏み入れたことのない荒れ果てた地域を通って、西に向かって旅した。（……）やがてフォーティーンは家族のもとに帰ってきた。（……）彼女はサーティーンの死を弔うためにひとりで遠くまで旅したのだとあえて言う者は、私を含め誰もいない。だが、成熟したオスと一緒にいることはあっても、彼女はもう二度と子を産もうとしなかった。

——ダグ・スミス『ファイブ、ナイン、フォーティーンに会う、イエローストーンのオオカミのヒロインたち（*Meet Five, Nine, and Fourteen, Yellowstone's Heroine Wolves*）』[*28]

動物が悲しみを感じることにまちがいはない。このストーリーが示すように、悲しみの普遍的な徴候は、つがいの相手、家族のメンバー、仲間の死に反応する際に、もっとも顕著に示される。人間同様、動物は離別や死別に大きな苦悩を感じることがあるのだ。そのような状況に置かれた動物は、グループから離れて孤立し、引き戻そうとする仲間の試みをすべてはねつける。ひとところにじっと座ったまま、空間をぼんやりと見つめていることもある。何も食べなくなり、交尾もしようとしなくなる。ときに死んだ仲間に執着して、生き返らせようとし、うまくいかずに何日も死骸のそばにいる。ジャネット・ベイカー＝カーの『ロバの無節制（*An Extravagance of Donkeys*）』によると、このすばらしき荷役獣は、仲間が病気になると心配な様子をし始める。[*29]一頭のメスが死んだときには、残ったロバは、彼女の墓の上に立って、レクイエムを歌うかのように夜遅くまでいないていたそうだ。

苦悩に関わる神経回路は、人間と動物のあいだで共通する。仲間の死に苦悩し、社会的な紐帯《ちゅうたい》を絶つゾウの様子は、心的外傷後ストレス障害（ＰＴＳＤ）に似ていると指摘する科学者すらいる。[*30]科学者は最近、腹側内側前頭前野《ふくそくないそく》（ｖｍＰＦＣ）と呼ばれる、ＰＴＳＤに関与する脳の領域を特定している。この領域の活動は人によって異なり、そのため不安や恐れを感じやすく、ストレスを受けやすい人もいれば、そうでない人もいるのだ。動物では、この組織は、忘れ去ることに重要な役割を果たしているらしい。

悲しみは一種の謎である。というのも、進化的な観点からすると、それに適応的な利点があるとはとても思えないからだ。そもそも、繁殖の相手を見つけるのに役立つわけではない。おそらく喪に服することは、亡き者に今一度敬意を払うために集まった仲間同士の紐帯を強化するのではないかと言う学者もいる。それは、いったん弱体化した絆を一度に結び直し、グループの結束力を強化するのに役立つのかもしれない。いずれにせよ、その意義が何であれ、悲しみは、幸福と悲哀の源泉たる、仲間への献身の代価なのである。

キツネの埋葬

　ある日の夕方、車を運転している最中に、こちらに向かって大きな黄褐色の動物が歩いて来るのが見えた。きっと、隣家のロブが飼っているジャーマンシェパードのロロに違いないと思った私は車を止め、ご機嫌をうかがおうとしてドアを開けた。ロロのほえ声が背後から聞こえてきたのは、自分が大きなオスのピューマと対面していることに気づいたあとだった。ピューマは私を凝視してから、歩み去っていった。その様子は、あたかも肩をすくめるような素振りをしながら「愚かな人間め！」と言っているかに見えた。縮み上がった私は、あわててドアを閉め、大急ぎで家まで車を走らせ、まっすぐにわが家に駆け込んだ。

　翌朝、ロロがアカギツネの死骸を発見したとロブから聞いた私は、その様子を見に行った。とても健康だったオスのキツネがピューマに殺されたことは、一目瞭然だった。キツネの死体は、一部が木の枝、土、そして自身の毛に覆われていた。

　二日後の朝、完全に明るくなるのを待ってから、ジェスロと散歩に出かけた。前方を見やると、小さなメスのアカギツネがくだんの死骸を土で覆っている様子が目に留まり、なるほどと思った。私はその光景に魅了された。というのも、後ろ足で地面を蹴れば、仲間の死骸（おそらくつがいの相手だったのだろう）に土がかかるような方向に、意図的に身体を向けていたからだ。それまで一〇年ほど、キツネの一家がわが家の近くに住みついていたことに鑑みると、このメスギツネが、死んだキツネの身内か、少なくとも親しい仲間であったことに、ほぼまちがいはない。彼女は、土を蹴り、いったん動作を止め、死骸を見て、再び土を蹴る。この「儀式」は一分ほど続いた。それが終わると、彼女は尻尾を垂らしながら、死骸の周りをそっと歩き続けていた。数時間後に戻ってきたときには、死骸はすっかり土に埋もれていた。

私はキツネの埋葬を見たのだろうか？　私には、このメスギツネは、死骸を埋めようとしていたように見えた。彼女の態度と行動には、確かに悲しみが反映していたと思う。その光景を見ることができたのは幸運だった。動物の複雑な生活の大部分は、私たちには見ることができない。また、実験室では再現できない。動物の観察を続けていると、幸運にも、彼らの心の奥に秘められた感情を垣間見ることができる、すばらしいできごとに遭遇する機会がある。

ゴリラの通夜とヒヒの友情

ゴリラは死んだ仲間のために通夜をすることで知られている。動物園のなかには、飼っているゴリラの一頭が死ぬと、正式に儀式をとり行なうことに決めているところもある。バッファロー動物園の園長ドンナ・フェルナンデスは、一〇年前にボストンのフランクリン・パーク動物園で行なわれた、がんで死んだメスのゴリラ、バブスの通夜について語っている。そのとき長いあいだパートナーだったオスが別れを告げるところを、彼女は見たのだそうだ。次のように言う。「彼は咆哮《ほうこう》し、胸を叩いていた。（……）それから彼女の好物だったセロリを拾って、死体の手の上に置き、目覚めさせようとした。感極まった私は泣いていた」[31]。そのあとで行なわれたバブスの葬式も、同様に感動的だったそうだ。地元のニュースでは「ゴリラの家族のメンバーが、バブスの死体が横たわっている部屋に一列になって入り、親愛なるリーダーに近づき穏やかにそのにおいをかいでいた」と報じられた。

人類の近縁種である霊長類は、人間に驚くほど近い行動を示すことがよくある。ゴリラの通夜の他に例をあげると、ヒヒは家族のメンバーの死のあと、仲間の慰めを求めることで知られる。ペンシルベニア大学の研究者の報告によると、ヒヒは友好的な関係に頼りながらストレスを引き起こす状況に対処する[32]。たとえば、ライオンがシエラという名のヒヒを殺したとき、その母のシルビアは仲間の慰めを求めた。研究者の一人アン・エングは、「シエラが死んで、シルビアはうつとしか言いようのない状態に陥った。これは糖質コルチコイドの増加とも合致する」と述べている。

ストレスを受けているヒヒには、人間と同じく、糖質コルチコイドと呼ばれる、副腎で生産されるホルモンの増加が見られる。ヒヒは、親しい仲間を失ったあと、友好的な社会的接触を保ち、社会的なネットワークをさらに広げることで、糖質コルチコイドのレベルを低下させることができる。エングは「シエラが死んで、シルビアには親しい仲間がまったくいなくなった。社会的な絆を結ぶ必要性が非常に高まったので、シルビアは、自分より地位が大きく劣るメスと毛繕いをしあうようになった。通常なら、そんな行動は彼女の地位にふさわしくはないはずなのに」と語っている。

エングはいくぶん慎重に次のように結論する。「私たちの発見は、ヒヒが、人間同様に悲しみを経験していることを証明するものではないが、ヒヒのあいだでは社会的な絆が重要であることを示す証拠にはなる。人間と同様、ヒヒは友好的な関係に頼りながら、ストレスに対処しようとするらしい」。

失意の死

何年も前のことだが、獣医のマーティ・ベッカーは、父にミニチュア・シュナウザー〔イヌの一種〕のペプシを贈った。ペプシの出産を手助けしたマーティによれば、ペプシは生まれたひと腹の子のなかで一番小さかったのだそうだ。そして父の親友になった。何年も同じものを食べ、同じ椅子に座り、ベッドを共にした。だが、父は八〇歳になったときに自殺した。親戚、友人、警察が家から立ち去るとすぐに、ペプシは、マーティの父が死んだ、地下室のまさにその場所まで駆け下りて行き、彫像のように硬直したまま立ち尽くしていたのだそうだ。マーティが抱きかかえると、ペプシは彼の腕のなかで弱々しくくずれおちて苦痛に満ちたうめき声をあげた。父のベッドに寝かせると、すぐに眠りについた。マーティが母親から聞いたところによると、階段を恐がっていたペプシは、一〇年間、地下室に下りたことは一度もなかったそうだ。長年の友だちに別れを告げるために恐怖心を克服したのだろうか？　ペプシは、よき友だちとの死別から回復することはなく、弱々しく引きこもったまま、ゆっくりと死んでいった。ペプシを埋葬したとき、マーティはペプシが失意で死んだことを確信した。親密な絆を結び、身を捧げていた人間がひとたびいなくなってしまうと、ペプシは生きる意志をすっかり失ってしまったのだ。

ゾウの埋葬

ゾウは死んだ仲間に対し、深い関心と好奇心を示すことで知られている。死んだ仲間に対応しているゾウを目撃することはまれで、詳細なデータの収集はきわめて困難だ。とはいえ、苦境に陥った他の個体に遭遇したときに、あるいは死体を発見したときに、ゾウが苦痛や死に関心を示し、明らかに同情を示しているところが、何度も確認されている。ここでそのような遭遇の例を、ゾウの専門家シンシア・モスの著書『ゾウの思い出（*Elephant Memories*）』から紹介しよう。

彼らはティナの死骸のまわりに集まって、穏やかにさわっている。（……）その場所は岩が多く、地面は湿っているため、周囲にめくれた土の固まりはない。だが、彼らは地面を掘ろうとし、（……）何とかわずかな土を拾い上げては死骸の上にまく。トリスタとティアと他の何頭かが、いったんその場を離れて低木が生えている場所まで行き、枝を折ってもとの場所に持ち帰り、そして同様にまく。（……）こうして夜になるまでには、死骸は枝と土でほとんど埋もれていた。それからほぼ夜通し番をし、夜明けが近づくと、ようやく渋々と立ち去り始めた。[*33]

イアン・ダグラス＝ハミルトンらによれば、ゾウも哀れみを親族以外、すなわち遺伝的に無縁な個体にも示す。[*34] また、死や骨に関心を示す様子が何度も報告されている。さらには、仲間の死骸を見て、この堂々たる体躯《たいく》の動物が動揺し興奮するところを、多くの専門家が目撃している。動物のコミュニケーションと認知の専門家カレン・マコームらは、独自の野外実験を行なって、ゾウが死んだ仲間に示す関心を調査している。[*35] 彼らは、一九のゾウのグループに頭蓋骨やその他の物体を見せ、ゾウが仲間の骨や牙をせんさくすることを好み、仲間と他の動物の頭蓋骨を識別できさえするということを発見した。また、野生のゾウは、仲間の頭蓋骨の検分には、バッファローやサイの頭蓋骨の倍の時間を費やした。

では、次のストーリーでは、愛情や絶望以外の何がゾウを突き動かしているのだろう？　シンシア・モスが語るこのストーリーは、先のストーリーと同じゾウの家族に関するもので、メンバーの一頭が射殺されたあとの行動を描いている。

テレシアとトリスタは狂乱状態に陥り、ひざまずいて彼女を持ち上げようとする。二頭は彼女の頭と背中の下に牙を指し込む。いったん彼女を座った状態にさせることができたが、死んだ彼女はすぐに後方に倒れてしまう。彼女を目覚めさせようとして、蹴ったり牙でつついてみたり、家族はあらゆることを試す。タルラに至っては、鼻で運べるだけの草を集めてきて、彼女の口に押し込もうとする。

オオカミの遠ぼえ

テキサス州ボイドにある国際エキゾチックネコ科サンクチュアリ（International Exotic Feline Sanctuary）のルイス・ドーフマンは、彼のよく知るオオカミが、いかに深い悲しみや感謝の念を表現するかを次のように語っている。

私は、野生動物と一緒に、数々の深く複雑な情動を体験してきた。一例をあげよう。私は一五年間、一頭のカナディアンシンリンオオカミと暮らしていた。ジャーマンシェパードの遊び仲間が死んだとき、彼女は死骸のにおいをかぎ、それから座って、これまで私が聞いたなかでもっとも悲痛な、魂のこもった遠ぼえをした。そしてそれは長く続いた。彼女がそんな遠ぼえをしたのは、あとにも先にもそのときだけだった。彼女は、ヒツジのように愛情深く穏やかな性格を持ち、じゃれたりからかったりするのが好きだった。また、メスのオオカミらしく、私の気分をただちに察知して、それに合うよう気遣いながら振る舞えた。やがて彼女は重い病気にかかって頭を上げることもできなくなり、獣医に連れて行ったが、別れを告げねばならないときがやって来た。獣医が安楽死の準備をしているあいだ、私は彼女の頭を抱えていたが、そのとき彼女は、私の目の奥深くを見つめながら最後の力を振り絞って頭を上げ、最後にもう一度私の顔をなめた。そのシーンは今でもまざまざと覚えている。彼女は、私のしていることが正しいと、そうして欲しかったと教えてくれたのだ！[*36]

映像作家のジム＆ジェイミー・ダッチャーは、地位の低いメスのオオカミ（オメガフィメイル）、モタキがピューマに殺されたあと、群れ全体が悲しみに包まれた様子を語っている。[*37] そのとき群れは不活発になり、遊び心を失ったかに見えたそうだ。群れでいっせいに遠ぼえをしなくなり、おのおのの個体が「単独でゆっくりとした悲嘆の叫び」をあげた。モタキが殺された場所に彼らが来ると、頭と尻尾は低く保ち、歩みは遅く緩やかになり、意気消沈した様子を見せた。そしてあたりを丹念に調べ、耳を後方にくぎづけにし、尻尾を垂れた。この身振りは通常、服従を表現するものだ。群れがいつもの状態を取り戻すまでには、六週間を要した。また二人は、カナダで見たオオカミの群れについて語っている。群れの一頭が死ぬと、他のオオカミは彼女を探すかのように、8の字を描きながら歩き回り、長くもの悲しい遠ぼえをしたのだそうだ。

永遠の献身——悲しみについてのラマの教え

本節は、私の友人ベッツィ・ウェブが語ってくれたストーリーで締めくくりたい。アラスカ州ホーマーに住む彼女は、長年ラマと暮らしている。彼らを連れて遠出することもよくある。彼女の語る感動的なストーリーは、動物の感覚能力と深い情動の存在を実証するすぐれた例だと言える。それは次のようなものだ。

群居性の動物ラマは、知覚が鋭敏で、互いに深い絆を結ぶ。私たちが飼っているラマは、牧草地では、同じ場所で草を食《は》み、隣り合わせに眠ることが多く、未知の動物や捕食者に直面したときには寄り添いあう。歩いている途中、一頭が立ち止まって遅れをとり、互いの姿が見えなくなったりすると、ひどく動揺する。彼らはよく声を出す。私のお気に入りは繊細なあいさつのしあいで、その声は小さなバグパイプを吹いているように聞こえる。

　私の家族がコロラド州からアラスカ州に移ったとき、二頭のコロラドラマを連れて行った。どうした巡りあわせか、アラスカの新居では、二頭のアラスカラマを受け継ぐ。最初は、二頭ずつ離れて暮らしていたが、やがて四頭すべてが仲間同士になる。

　数年後、最年長のブーンが、二七歳で突然死んだ。ある日、衰弱しきって横向きに伏せたまま立てなくなったのだ。すると翌日、彼の生涯のパートナー、ブリッジャーもその横で同様に死んでしまう。早春の地面はまだ凍結していたため、掘削機を所有していた友人を呼んで柵のすぐ外に墓を掘ることにした。私たちは、ブーンとブリッジャーを掘削機のシャベルで注意深く持ち上げ柵越しに墓に埋めた。もう一方のペア、タフィーとパンパーニッケルは、そばで静かにその作業を見守っていた。

　次の二日間、ストイックなタフィーは、柵のそばに立って地面にできた穴を凝視したまま、ほとんど動こうとしなかった。興奮しやすいパンパーニッケルも、小さな納屋に閉じこもったまま、二日間悲しそうな声で鳴いていた。三日目にようやく、二頭は悲しみから回復し、いつもの生活を取り戻した。

生涯のパートナー、ブーンを失ったブリッジャーは自らもそのあとを追ったのだろうか？　独自の性格を持つタフィーとパンパーニッケルは、それにあった方法で悲しみを表現した。私にとって、相次いで二頭のラマを失ったときのもっとも感動的な思い出は、互いを思いやり調和に満ちたラマの死と悲しみのプロセスを目撃できたことだ。

愛情
——科学と詩が出会う場所

愛（情）。これほど謎に満ち、悩ましき情動はないだろう。人類は、意識が芽生えて以来一貫してこの情動を理解し定義しようと努めてきた。ならば、動物の愛情を理解し定義できる見込みはあるのだろうか？　とはいえ、たとえ真に理解はできなかったとしても、その存在は疑えないし、その力は否定し得ない。私たちは毎日、無数の形態の愛情を経験し目撃している。前述のとおり、悲しみとは愛情の代償なのだ。しからば、動物は悲しみを表現できるのだから、必ずや愛情を感じる能力も持っているに違いない。

愛情はおそらく、その形態と陰影の多様さを考えれば、数ある情動のなかでももっとも複雑なものであろう。科学と詩が出会うこの領域では、恋愛、親の愛、子の愛、性愛などさまざまな愛が交錯し、さらに私たちは愛情を、友情、忠誠、好意、優しさ、信仰、献身、同情など、さまざまな形態で表現する。

それでも、愛情を求める動物の行動を調査するためにあえて定義するなら、愛情とは、他の個体との親密な関係を求め維持することを選好し、必要なら相手を守りケアすること、などといったものになるだろう。つまり親密かつ互恵的な社会関係を形成して維持し、互いの感情を交換しあうことなのだ。あまり詩的ではないが、取り掛かりとしてはこれで十分だろう。

多くの動物には、さまざまな種類の愛情を感じる能力があることを示す証拠はたくさんあり、最新の科学もその見方を支持する。愛情を生産する脳の工場（神経組織や神経化学）は、人間のものも動物のものも同一であるかまたは似通っている。ここでも科学は、私たちがすでに直観的に知っていることを再確認しつつある。以下に、動物の恋愛（つがいの相手の選択）、母の愛（母と子の絆）、子の愛（兄弟愛や友愛）を紹介しよう。

愛と結婚

動物の求愛に関する研究は無数にある。ロマンチックな恋愛が人間に特有なものではないことは明白であり、また、献身的な夫婦愛に関して人間はお手本ですらないとつけ加えておくべきだろう。人間の愛でさえ、どこまでが化学作用で、どこまでが純粋に「情動」なのかを決めようとしても、それは議論のための議論にしかならないだろう。だが、イヌやネコを飼っている人（あるいはウシやブタやヒツジをじっくりと観察したことがある人）なら誰でも、動物が恋に落ちることを知っているはずだ。彼らの愛は、他の情動と同じく、純粋でフィルターがまったくかかっていない。

多くの動物は、個体同士が知りあい、親密な関係を築くのに長い時間をかける。恋愛はゆっくりと発展し、求愛には多大な時間と労力が費やされることがある。求愛の儀式には、身体的な危険が伴うケースすらあり、誓いが繰り返し求められる場合もある。たとえば、オスのキヌザル（マーモセット）は、つがいの相手を選ぶのに相当な時間をかける。[*38] 機能的磁気共鳴画像法（ｆＭＲＩ）を用いた研究によれば、キヌザルは交尾を行なう前に、相手を慎重に評価決定する。イヌ科の動物の多くでは（オオカミ、コヨーテ、キツネ、ジャッカル、ディンゴなど）、何年も交尾を続けてきたオスとメスでも、長く会っていなかった旧友同士のようにあいさつをしあい、これまで何度も繰り返してきた求愛の儀式を実践する。

言葉の意味を明確にしておくと、「求愛」とは単にセックスの婉曲《えんきょく》な言いまわしなのではなく、どこのハイスクールの卒業パーティーでも見かけられるような「ロマンチックな」ダンスと同種の行動を指す。たとえば、ベアーンド・ワージッグは、アルゼンチンのバルデス半島沖で観察したセミクジラの求愛について述べている。[*39] オス、メス二頭のクジラは、ゆっくりとした愛撫するかのような動きから求愛を開始し、求愛中はずっと前びれを触れあったままにしている。次に、向きあって体をよじらせながら、抱きあうかのように前びれをからませ、そのあとすぐに逆方向に体をよじらせて互いから離れ、今度は横に並ぶ。それから体を触りあいながら、また、一緒にもぐったり海面に浮上したりしながら仲良く泳ぎ去る。ワージッグは一時間ほどこのペアを追いかけたそうだが、二頭は一緒に泳ぎ続けていたとのこと。

クジラは私たちと同じ哺乳類だが、魚類もつがいの相手を選択するということを示す説得的な証拠がある。魚類は自動機械などではない。生物学者リー・ドガトキンは、彼が「グッピーの愛」と呼ぶ行動を観察している。*40 彼によれば、グッピーのオスは、メスが近くにいるときには、捕食者に対する行動様式を変え、より大胆になる。というのも、メスは勇敢なオスに惹《ひ》かれるからだ。どうやら魚でさえ、愛のためには自らを危険にさらすらしい。

『人はなぜ恋に落ちるのか？――恋と愛情と性欲の脳科学』の著者ヘレン・フィッシャーは、愛情の進化に関して「厚かましい求愛」という見方を提案し、「これらすべてのデータが示すところでは、大小いかなる動物も、特定の相手を好み、追いかけ、所有するよう生物学的に駆り立てられている。動物の求愛の基盤には一種の化学作用が存在する。そしてそれは人間の愛情の先駆をなす」と述べている。*41

もっとも献身的な雌雄の関係は、必ずしも人類の近縁種たる大型類人猿やその他の哺乳類に見られるわけではない。鳥類の九〇パーセント以上は一雌一雄《いっしいちゆう》の関係を保ち、多くが死ぬまで同じ相手とつがう。哺乳類の多くはそうではない。しかも献身ということになると、人類を除けば霊長類さえ、比較的冷淡に見える。たとえばオスのチンパンジーは、求愛、交尾に時間をあまりかけず、子を産ませたメスと一緒にいようともしない。つがいの相手や自分の子を守ったり、エサを調達してきたりする必要がない場合、オスはできる限り多くのメスと交尾しようとする。水場の「愉快なひととき」といったところだ。

母の愛情

求愛と同様、動物の母親の示す愛情についても数多くの研究が存在する。母の愛情は、子どもが窮地に陥っているときに、もっとも劇的に表現される。多くの動物の母親は、子どもを守るためなら死ぬまで闘う。子どもが傷ついたり殺されたりすると、深い苦痛と悲しみの感情を表に出す。アシカの母親は、子どもがシャチに食べられているところを見ると、不気味なかん高い声をあげ、苦悶して泣き叫ぶ。また、死んだ子どもを救おうとするイルカが目撃されている。

母の愛情ほど原初的なものはない。子どもをケアする献身的な両親の、無脊椎動物における既知の最初の例は、オーストラリアの吸血ヒルに見出せる。*42 このヒルは、生後六週間にわたって幼虫を運び、栄養を与える。また、捕食者から子どもを守り、安全な場所まで運んで行く。

母の愛情は、無数の動物に見出せる。シャチ（オルカ）は、食べられる動物にとっては恐ろしい存在だが、その一方で愛情に満ちたよき親でもある。シャチの子どもは、生まれてすぐ泳ぐことができ、しかも人間の子ども同様、とても好奇心が強い。アメリカの愛護協会に勤めるナオミ・ローズは、カナダのバンクーバー島の沿岸で、シャチの大群を観察していた。ある日、一頭の母シャチが子どもを伴わずに水面に浮かび上がってくるところを見ていた彼女は、その子どもが、乗っていたボートの背後を泳いでいるのに気づいた。[*43] この子シャチは遊びながらあたりを探検していたのだが、頭がボートのスクリューに接近しつつあった。母シャチは、数分のうちにボートのそばまでやって来た。しかし子シャチをボートのそばから追い払おうとはせず、単に様子を見守っていた。つまり彼女は子シャチの好奇心や遊び心を損なおうとはせず、その代わり子シャチが危険な状況に陥らないよう目を光らせていたのだ。この母シャチは、世のあらゆる母親が配慮しなければならない微妙なバランス、すなわち過保護にならないよう子どもの安全を確保すべしとする要請にうまく対処しようとしていたのだろうか？

ゾウは親の献身度の高さでよく知られている。ゾウの専門家シンシア・モスは、ゾウの母親の献身にまつわる次のようなストーリーを語っている。[*44] ある年の二月の後半、ゾウの一家の「美しい女家長」エコーは、オスの子イーリーを産んだ。だがイーリーは、関節が硬化し、前脚が曲がった状態で生まれてきたために立ち上がることができない。エコーは、鼻を巻きつけてイーリーを起こそうとする。イーリーは、立ち上がるたびに、しばらくはひざを使ってよろよろと歩くが、やがて地面に倒れてしまう。

そうこうしているうちに、一族の他のメンバーは出発する。だが、エコーと彼女の子で九歳のメス、イーニッドは、イーリーとともに残る。エコーとイーニッドは飢えと渇きを覚えても、イーリーを置き去りにしてまで水場に行こうとはしない。やがてたいへんな努力の末に、三頭とも水場にたどりつき、水をかけあう。それからエコーとイーニッドは、他のメンバーに向かって低いうなり声をあげる。三日後、イーリーの関節は自由に動くようになり、彼はついに立ち上がることができた。

ストーリーはそこで終わらない。イーリーは七歳のとき、背中に槍《やり》が三〇センチほどの深さまで突き刺さり、重傷を負う。それまでに新たな子が生まれていたにもかかわらず、エコーは依然としてイーリーと強い絆を保っており、獣医の一団に治療をさせようとしない。イーリーが麻酔を打たれて倒れると、エコーたちは彼を起こそうとする。エコー、イーニッド、そしてもう一頭のメスの子エリオットは、治療の邪魔になるので獣医が追い払おうとしても、イーリーのそばを離れようとしない。空に向けて銃を発砲しても、頑なに立ち去ることを拒否する。しかし最後には、獣医は治療を済ませることができ、イーリーはやがて回復した。エコーのイーリーに対する変わらない献身は報われ、一二歳になった現在のイーリーは、とても健康だ。

文字通り愛は盲目

つがいの相手を惹きつけたり自分の子どもを守ったりすることは、遺伝的に配線《ハードワイヤード》された本能だと思われるかもしれない。「愛情」に見えるものは、実際には進化のプロセスが、投資の対象を保護しているだけなのかもしれない。この見方は部分的に正しい。繁殖への欲求は確かに本能的に思われる。しかし生物学的な必要性のみでは、動物の示す広範な情動を説明しきれない。ましてや次にあげるいくつかのストーリーは説明できないはずだ。これらのストーリーでは、生物学的な利益は何もないにもかかわらず、動物は驚異的な献身と思いやりをもって行動している。

　数年前のことだが、小さな町の街路で、おびえてすくんでいる二頭のうすよごれたジャック・ラッセル・テリアが見つかった。二頭は仲間同士で、つがいではない。一頭は両目から出血していた。もう一頭は仲間をかばうようにして立ち、ほえていた。そして人が近づくと噛みつこうとした。二頭は動物病院に連れて行かれたが、獣医の診断では、目から出血しているほうの一頭は何かで刺されていた。獣医は両目を取り除き、まぶたを縫った。手術の二日後、ベンと呼ばれるようになったこのテリアは、地元の動物保護施設で仲間のビルと再会できた。それ以来、ビルはベンの盲導犬になった。ビルの首筋をベンがつかみ、ベンが地勢を把握するまで、ビルは自分の首筋をつかんだベンを誘導しながら庭を歩き回ったのだ。この驚くべき振る舞いがテレビで報道されたあと、二頭は、年をとったメスのジャック・ラッセルを飼っている老夫婦に引き取られた。そこでもベンは、ビルの誘導によってこの老夫婦の住む小さな家と庭のレイアウトをすぐに把握し、自由に歩き回れるようになった。夜は一緒に丸くなって眠り、「まるで夫婦のように振る舞った」。

　盲目の個体を別の個体が誘導したというストーリーは他にもある。盲目のラバ、アニーと、彼女の献身的な伴侶で誘導役のチャーリーの話を紹介しよう。二頭は、非営利団体が経営する、コロラド州のブラックフォレスト・アニマルサンクチュアリ（ＢＦＡＳ）の定住動物だ。肩を骨折したアニーは、食肉処理場に送られる予定になっていたが、ＢＦＡＳに引き取られて事なきを得た。チャーリーとは、サンクチュアリの牧場で一年ほど暮らしたあと出会った。二頭は最初、別の牧草地で飼われていたが、寒い冬の日に、暖をとるために全動物が一つの小屋に集められた折に、すぐに仲良くなった。チャーリーがアニーに近づいて鼻先をすりつけ、二頭はじゃれあい始めたのだ。現在では、二頭はかたときも離れることがない。アニーは以前、水のある場所にうまくたどりつけないことがあったが、今ではチャーリーが確実に彼女を導いてくれる。昼間は、チャーリーにつき従って障害物にぶつからないようにしながら牧草地を歩き回り、夜は、ビルとベンと同じように一緒に丸くなって寝ている。

第1章で述べたとおり、私たちが愛情と呼んでいるものに似た、親密な社会関係を築くさまざまな動物について、無数のストーリーが残されている。二〇〇四年に発生した津波によって海水で水浸しになったケニアで、やがて管理人にオーウェンと呼ばれるようになる一歳のカバが、脱水症状を起こして一頭でさまよっていたところを救出され、ムジー（スワヒリ語で老人を意味する）という名の一〇〇歳のカメと親密な関係を結んだという話がある。[*45] オーウェンはインド洋沿岸でレンジャー隊員に発見され、モンバサの鳥獣保護区に連れて来られた。今ではオーウェンは、カメのムジーと無二の親友になり、一緒にエサを食べ、一緒に寝ている。

イヌの愛情

誰もが知るように、イヌは「人類の最良の友」だ。人間に対する献身は疑いようがない。また、イヌ同士も最良の仲間になり得る。愛情について取り上げてきた本節は、美しい二匹のマラミュート犬ティカとコブクに関するストーリーで締めくくりたい。[*46] 長年つれ添ってきたティカとコブクは、八腹分の子イヌを育てたのち、現在では、このストーリーを語ってくれたアン・ベコフの家で引退生活を享受している。コブクは、チャーミングでエネルギーに満ちあふれ、注目されることをいつも望んでいる。おなかをなでてもらいたいときや、耳をかいてもらいたいときには、必ずその意思を伝えようとする。また、ほえることで注目を浴びようとする。一方のティカは静かで、とても控えめだ。誰かがティカの耳や腹部をなでようとすると、コブクが割って入ってくる。ティカは、コブクから離れたところに置かれたエサでないと、食べてはならないことを知っている。コブクがドアに向かって歩いているときに、たまたまティカが前方を横切ったりしようものなら、ティカはそのまま突き進んできたコブクに押し倒されるのが普通だ。

ある日、ティカの足に小さな腫物ができ、悪性腫瘍と診断される。すると一夜にして、コブクの態度は変わった。控えめになり、ティカのそばを離れようとはしなくなったのだ。ティカは足を切断せざるを得ず、自由に歩き回れなくなる。明らかにティカを気づかっているコブクは、それまでのように彼女を押し倒したりはしなくなり、また、彼女だけがベッドに寝ることを許されても、機嫌を損ねなくなった。

ティカの手術後およそ二週間が経過した頃、コブクは、散歩をしたくてたまらないときにする方法で、真夜中にアンを起こした。それから別の部屋で寝ていたティカのそばまで駆けて行く。アンはティカを起こし、二匹を戸外に連れ出す。しかし外に出た途端、二匹は草の上に横になってしまう。ティカは弱々しく鼻を鳴らしている。そのときアンは、ティカの腹部が大きく腫れていることに気づく。このままではショック症を引き起こすと判断したアンは、ボルダーの動物緊急治療所に大急ぎでティカを連れて行く。手術は成功し、かくしてティカは一命を取り留めたのである。

コブクがアンを起こさなかったら、ティカはほぼまちがいなく死んでいただろう。切除手術が成功してティカが健康を回復するにつれ、コブクは、三本足で歩く彼女をしり目にもとのいばり屋のコブクに戻っていった。だがいずれにしても、アンは二匹の真の関係を知ることができたのだ。コブクとティカは、つねに連れ添う愛情あふれるイヌの老カップルだということを。

私たち人間も、動物とつきあう際には、彼らの振る舞いを模範にすべきだろう。いずれそうなることを、私は切に願っている。

きまりの悪さ
――サルは赤面するのか？

動物はきまりの悪さを感じることがあるのだろうか？　愚問に思われるかもしれないが、この能力は感覚能力や自己意識の存在を示す徴候の一つかもしれないのだ。自己に対する感覚がまったくなければ、誰が見ていようが何も気にならないはずではなかろうか？

きまりの悪さを観察するのはむずかしい。その定義上、主体は自分の感情を隠そうとするからだ。

しかしジェーン・グドールは、チンパンジーにきまりの悪さと呼べる感情を観察したことを報告している。*47 フィフィは、ジェーンがかれこれ四〇年以上にわたって交流してきたメスのチンパンジーだ（フィフィは、同様に有名なメス、フロの娘である）。フィフィの最年長の子フロイドが五歳半のとき、フィフィの兄弟、すなわちフロイドのおじのフィガンが、チンパンジーコミュニティーの最優位雄《アルファメイル》だった。フロイドはいつもフィガンにつき従っていた。この大きなオスを英雄視していたのだ。フィフィがフィガンの毛繕いをしていたとき、フロイドは、ワイルドプランテーンと呼ばれる草の細い茎を、葉の生えた先端までよじ登り、体を激しく前後に揺すり始めた。人間の子どもにたとえれば、目立とうとしているといったところだ。すると突然茎が折れ、フロイドは下生えのなかに転落した。けがはなかった。すぐそばにいたジェーンは、草のあいだから頭が現れ、「気づいたかな？」とでも言いたげな様子で、フロイドがフィガンのほうを見ているところを目撃した。気づいていたにせよ、フィガンはフロイドにはまったく注意を払わず、毛繕いに専念していた。一方のフロイドは別の木に登って、エサを食べ始めた。

ハーバード大学の心理学者マーク・ハウザーは、オスのアカゲザルにきまりの悪さと呼べる感情を観察している。*48 このオスは、交尾のあと、誇らしげに歩み去っていく途中で誤って溝に落ちた。立ち上がって素早くあたりを見回し、他のサルが見ていなかったことを確認すると、何事もなかったかのように頭と尻尾をあげ、背中をそびやかして去っていったそうだ。

もちろん、いかにおもしろい話ではあっても、これら二つのストーリーが確たる証拠になるわけではない。きまりの悪さの主観的な本性の調査にも、神経生物学、内分泌学、動物行動学の比較研究が必要になる。人間におけるきまりの悪さの感情と、神経やホルモンの相関関係を解明し、動物にも類似のパターンを確認できれば（喜びの研究に関してはそうした）、動物もきまりの悪さを経験する能力を持っていると見なしても差し支えないはずだ。これらのストーリーは、その可能性を示唆するものであり、そうではないと考えるべき理由は存在しない。

生存競争
――怒り、攻撃性、復讐

喜びや恐れと同様、動物が人間と同じように怒ることにまちがいはない。動物と人間は、怒り、攻撃性、復讐心を感じたり表現したりするのに重要な役割を果たす、（セロトニンやテストステロンなどの）神経化学物質と、（視床下部などの）脳組織を共有している。怒りや攻撃性を見分けるのはたやすい。というのも、フィルターを通さずにそのまま噴出するからだ。

けれども、怒りの表現は必ずしも暴力や傷害に至るわけではない。オスのキリンは、動揺すると二頭で「ネッキング」しあうことがある。ここで言う「ネッキング」とは、二頭のキリンが互いに向かって歩み寄り、並んで立ち、角《つの》で互いの首を穏やかに触れあうというものである。二〇年以上キリンを研究してきた生物学者アン・ダグによれば、ネッキングが実際の闘争に転化するところは一度も見たことがないそうだ。[*49]

タコでさえ、怒りを露わにすることがある。生物学者ローランド・アンダーソンによると、興奮すると、タコの皮膚は、真珠のような白から赤に変色する。[*50]赤いタコをみかけたときには、怒っている可能性が高いので、近づかないほうがよいだろう。

一雌一雄の関係を維持する鳥類も、途方もない怒りと攻撃性を示すことがある。とても賢いヨウム〔大型インコ〕、アレックスを数十年間研究してきたアイリーン・ペパーバーグによると、アレックスは期待どおりにことが運ばないと激怒したそうだ。[*51]アレックスは、普段はよくなついていて、目を大きく見開き、羽をしぼませ、頭を上げているのに、好物のカシューナッツではなく普通の鳥のエサを与えると、目を細め、羽をふくらませ、頭を低くし、不快感を露わにした。

鳥類は兄弟げんかをすることでも知られている。[*52]兄弟姉妹は仲間同士でもあるが（身を守りあい、共通の敵を前にして協力しあう）、安全な巣から追い立てあったり、（豊富にあっても）エサを盗みあったり、場合によっては殺しあったり（兄弟殺し）さえする。アメリカペリカンのあいだでは、兄弟げんかはありふれている。また、カザノワシ、アマサギ、オオアオサギ、メキシコアオアシカツオドリは死ぬまで闘いあうことがある。通常、年長のもっとも大きい個体が闘いを始める。カザノワシを対象にしたある研究では、年長の個体が、より若い個体を執拗《しつよう》に追いかけ回し、三八回の攻撃のあいだに、一五〇〇回以上つついた。最終的に、前者は体重が五〇グラム増え、後者は一八グラム減っていた。

兄弟殺しは、明らかに生存競争に駆り立てられて行なわれる。とはいえ、それが情動的なものである点に変わりはない。哺乳類に兄弟殺しの例が少ないのは、争いの多くが、外部からは見えない、ほら穴などのねぐらで起こるからだが、ガラパゴスオットセイやブチハイエナには確認されている。異性間より同性間での争いのほうが多く、また激しい。

ハイエナののけ者

アフリカに生息する肉食動物のブチハイエナは大家族《クラン》を構成する。他の個体に怒りを感じると、通常は争わずにただ彼我の差異を評価しようとする。一頭のハイエナが同じクランに属する別の個体の行動にいらだつと、ただ近づいていくか、そちらに向かって頭を振る。通常、相手はそれだけで引き下がる。しかし相手がそうしなかった場合、追いかけあいになることがある。だが、互いに激しい怒りを感じあっていない限り、噛みあいにまで発展することはそれほどない。

ケニアでブチハイエナを研究してきたケイ・ホールカンプとローラ・スメイルによると、この動物が激しく攻撃しあうところは一度しか見たことがないそうだ。[*53] この一回は、リトルガルウイングという名のメスの成獣が一年間群れから離れていたあとで、クランに復帰しようとしたときに起こった。

リトルガルウイングは、仲間のもとに帰ることに対して明らかに神経質になっていた。耳はぴったりと頭につけ、尻尾は足のあいだにはさみ、笑みをうかべながら仲間のほうに近づいていった。

そしてそのあいだ、頭を上下左右に揺り動かしていた。この動作は服従を示すものだ。

しかし、かつての仲間は彼女を受け入れようとはしなかった。尻尾を持ち上げ、耳を前方に向け、背中の毛を逆立てた。彼らは、リトルガルウイングの帰還に動揺しいらだっていたのだ。その様子を見た彼女は、体勢を低くし、そのまま仲間のほうへ這《は》うように進んでいった。普通ならこの動作は、仲間の攻撃的な態度を緩和するはずだが、このときはうまくいかなかった。クランは彼女を他のクランからの侵入者のように扱い、結局追い払ってしまった。

意地悪なニック――卑劣で怒りっぽいヒヒのストーリー

ニックは、ケニアのマサイマラ国立保護区の南東端地域で「森林部隊（Forest Troop）」と呼ばれる群れに属する成長期のアヌビスヒヒであった。その顔は人を小馬鹿にしているようだったとは、世界的に著名な行動生物学者ロバート・サポルスキー（スタンフォード大学教授）が『霊長類のメモワール（*A Primate's Memoir*）』で述べている証言だ。それによると、ニックは同年齢集団を支配し、「自信に満ちあふれ、何事にも屈せず、しかも卑劣な手段を行使した」[*54]。あるとき、ニックはルーベンという名のヒヒに襲いかかった。闘いが終わったあと、ルーベンは「尻を高くつき上げた」。これは負けを認めて服従の意を示すしるしだ。ニックはそばに寄り、尻を検分するかのしぐさを見せ、犬歯で切り込みを入れた。サポルスキーの文章は、動物の行動を雄弁かつ明快に描くことで知られており、擬人化であるように聞こえようが聞こえまいが、ニックについて記した次の表現は実に率直だ。

とにかくこいつは性格が悪い。（……）メスにしつこくつきまとい、子どもをたたき、年老いた弱者にいばり散らす。ある日、臆病なルースの行動に腹を立て、彼女を木の上に追いつめた。通常このようなケースでは、オスより体の小さいメスは、普段にはない利点を活かせる。つまり折れやすい枝先まで逃げ、オスがそこまでやって来られないことを見越して、命懸けでぶらさがっていられるのだ。そして通常、もくろみをくじかれたオスは、少なくとも、枝の先端で叫び続けるメスをくぎづけにしておける位置に留まりはするが、やがて疲れてくる。だから、ニックに追われたルースは、木に大急ぎでよじ登り、枝の先端に飛び移ったのだ。ところがニックは、彼女がぶら下がっている枝の上方にある、もっと太く折れにくそうな枝に素早く登り、彼女の頭をめがけて放尿した。

いばり屋のニックは、いわばダーウィニズムの悪夢だ。だが、彼は恐ろしく賢くもある。サポルスキーは別のエピソードで、個体間の支配ランク、性格、生理機能を調査する行動生理学の実験を行なうためにルーベンに催眠鎮静薬を含んだダートを撃ち込んだときのことを記している。鎮静薬を打たれてルーベンがぐったりしているところに、ニックが近づいてくる。頭を上げてその様子を見たルーベンは、しかめ面をして恐れの感情を表現する。するとニックは、ルーベンの肩と尻に手を置き、のけ反りながら雄叫びをあげ、しばらくその姿勢を保ったあと、しげみのなかに去って行く。そのシーンを見ていたサポルスキーは次のように語る。「私は目を疑った。あいつは催眠鎮静薬の効果を、自分の能力に見せかけたのだ」。

とはいえ、怒りはつねに生存競争の一作用として生じるのだと主張したいわけではないし、ましてや単に卑劣さの表れだと言いたいわけでもない。一例をあげよう。サウジアラビアで、一頭のヒヒが車にひかれて死んだ。するとヒヒの一団が、同じ車が通りかかるのを、三日間道路脇で待ち伏せしていた。やがてその車が通りかかると、一頭のヒヒがかん高い声をあげ、それから皆でいっせいに車に向かって石を投げつけ、フロントガラスを割った。[*55]

チンパンジーをからかうと？

警告の意味も含め、最後にもう一つストーリーを紹介しよう。カリフォルニア大学サンタクルーズ校の海洋生物学者ロン・シュスターマンは、若いオスのチンパンジー、フランツの話をするのが好きだ。実験室で飼われていたフランツは、糞《ふん》を投げることで知られていた。[*56] とりわけロンの友人ラリーは、格好のターゲットになった。ある日、フランツの檻がきれいに掃除されていたのを見たラリーは、「やれるものならやってみな。ほれ、ほれ」とフランツをからかった。そのあいだフランツはラリーを凝視していたが、ラリーが言い終わると、数分前に食べて半分消化されたエサを吐き戻して投げつけ、ラリーを汚物まみれにした。それからフランツは、勝利のダンスを踊りながら走り回っていた。

自閉症のコヨーテや躁うつ病のオオカミはいるのだろうか？

本章を締めくくるにあたって、あまり言及されることのない問いを提起しよう。人間が感じている情動の、ほとんどとは言わないまでも多くを経験できるのなら、動物も心の障害を持ち得るのだろうか？　さまざまな動物が、情動を自由に、そしてオープンに表現できるという事実を見てきたが、「それを欠いている」かに思われる個体を見かけることがよくある。たとえば、どうやって遊べばいいのかがわからないといった様子をしている若い個体をたまに見かける。コヨーテの子ハリーは、同腹きょうだいと同じように、遊びのシグナルに遊びで応じることができなかった。また、プレイバウをすることもほとんどなく、遊びの始め方、というよりも遊び方そのものを理解していないようだった。私は長いあいだ、その手の事実を個体差ということで片付けていた。同じ動物種に属していても、行動様式は個体間で変わり得るので、ハリーの例はそれほど驚くべきものではないと考えていたのだ。

しかし、自閉症の動物がいるかどうかを質問されてから、ハリーのケースをどうとらえるべきかがよくわからなくなった。人間が自閉症になり得るのだから、動物が自閉症と呼べる障害を持つ可能性はあるのではないだろうか？　ハリーはもしかするとコヨーテの自閉症を抱えていたのではないか？　自閉症の専門家サイモン＝バロン＝コーエンは、動物行動学の知見を用いて、人間の自閉症の理解を大きく発展させた。動物行動学者ニコ・ティンバーゲンは、自閉症の研究に関心を寄せるようになった。[*57] そう考えると、そこには何らかの関係があるに違いない。

他の動物のことも思い出す。大きなオスのコヨーテ、ジョーは、そこら中をうろうろしていた。何の理由もなく機嫌を損ね、意気消沈してぶらついていたかと思えば、次の瞬間には、無我夢中で幸福そうに走り回っていた。若いオオカミのルーシーも、ジョーと似たような態度をとっていた。オオカミとして「普通に」振る舞っている日もあれば、ひどく興奮したり、あるいは極端に落ち込んだりしている日もあった。同僚の研究者からも、異常な振る舞いをする動物を観察したことがあると聞く。ただ、異常な行動を示す動物個体を、自閉症や躁《そう》うつ病〔双極性障害とも呼ばれる〕を抱えていると見なしてはこなかった。

進化の連続性と情動という観点から考えると、そう見なすことが不適当だとは必ずしも言いきれないのではないだろうか。前述のとおり、経験を積んだ動物行動学者や心理学者は、ゾウが私たちと同じように傷ついたり、心的なトラウマから回復したり、あるいは心的外傷後ストレス障害（PTSD）に苦しんだりすると考えている。ちなみにゾウは巨大な海馬体を持っているが、この脳組織は情動の処理に重要な役割を果たしている。ならば、動物に自閉症や躁うつ病の存在を認めるのは行き過ぎなのだろうか？　イヌにはさまざまな心の障害が確認されている。この事実を野生の近縁種や、さらにはそれ以外の動物に拡張して考えてはならない理由があるのだろうか？

さて、次章ではさらに興味深い可能性を検討する。動物は道徳的な感覚を備え、この能力は人間の道徳的な行動の進化的な先駆をなすという可能性を。

第4章

野生の正義、共感、フェアプレイ

動物に名声を見出す

思いやりにあふれたメンバーが多ければ多いほど、その共同体はそれだけ大きな繁栄を享受し、多くの子孫を授かることができるだろう。

——チャールズ・ダーウィン『人間の進化と性淘汰』*1

私は長年、動物の遊び《プレイ》を研究してきた。ずいぶんと軽薄な研究のように聞こえるかもしれないが（事実、かつては私に面と向かってそう言い放った研究者もいた）、何年間もイヌ、コヨーテ、オオカミのビデオを調査し、動物が遊ぶ様態を理解しようと努めてきた結果、「動物はフェアに遊ぶのだろうか？」という大きな、そして意外な問いを中心に、さまざまな疑問にぶつかった。（争いや交尾とは違い）遊ぶときには動物同士、同意をとりつけるのだろうか？　もしそうなら、信用や協力はもちろん、それが侵犯された場合、その事実の承認、謝罪、赦しなどが求められるのか？　動物は正直なのか？　ルールが侵犯されたときには、それに見合った不利を被《こうむ》るのだろうか？　割に合わないことをさせられたり、ごまかされたりすることに嫌悪を示すのなら、動物は正義の感覚、あるいは善悪や正邪を区別する能力を持っていると言えるのか？　言い換えると、動物は道徳的な存在なのか？　動物が、共感、相互依存などの認知や情動の能力とともに、正義の感覚を示せるとしたなら、人間と動物の違いは本質的なものではなく、程度の問題にすぎないということになるのではないか？

さらに問い続けると、これらすべてが真なら、道徳は進化によって獲得される特徴と見なせるのだろうか？　「フェアであること」とは、進化的な適応を意味するのか？　つまり、より道徳的な個体は、繁殖成功度が上がり、そうでない個体は下がるのだろうか？　言い換えると、もっとも有徳な個体が生き残る可能性がもっとも高く、その遺伝子はより長く繁栄するのだろうか？

これらは難問だが、「動物のあいだにも名声が存在する」という結論を直接的に導く証拠が次々に得られている。ジョージア州アトランタにあるエモリー大学に所属するフランス・ドゥ・ヴァールらの研究を始めとして、広く喧伝《けんでん》されてきた研究の多くは、人間以外の霊長類を対象としているが、これまで考えられてきたよりも広範な動物のあいだで道徳的な行動が見られるという主張を裏づける説得的なデータが、社会性肉食動物の研究から得られている。ドゥ・ヴァールは動物が道徳的な存在であるとは確信していないものの、『霊長類と哲学者――道徳はいかに進化したか（*Primates and Philosophers: How Morality Evolved*）』で、人間の道徳性が動物の社会性の延長線上にあると主張している。ただ残念なことに、彼は社会的な遊びには言及していない。

私がこれまで長年行なってきた社会性肉食動物（オオカミ、コヨーテ、アカギツネ、イヌなど）の遊びの研究に基づけば、いくつかの動物は道徳的だと主張できる。また、多くの肉食動物の社会的な組織や行動は、役割分担、食べ物の分配、養育、両性間および同性内の階層的な支配関係など、いくつかの重要な側面で初期のヒト科の動物のものに似ているので、他の霊長類より肉食動物の研究から、人間の行動の進化について多くを学べると主張する動物学者もいる（ノーベル賞受賞者ニコ・ティンバーゲンや、野生動物研究の第一人者ジョージ・シャラーら）[*2]。これらを考慮すれば、社会性肉食動物は、動物の道徳性を解明する上で重要なカギになると言えるだろう。

では、遊びは道徳性とどう関係するのか？　第一に、動物の遊びには、従わねばならないルールがあり、それが破られると遊びは損なわれる。それは、人間の普遍的な価値観、すなわち「己の欲する所を人に施せ」と要請する黄金律にも似た原理に基づいているように見える。この原理の実践には共感（他者の感情を自分でも感じること）が必要であり、また、相互依存（他者も同じルールに従うものと仮定し、好意の交換をすること）が求められる。さらに言えば、社会的な環境のもとでは、うまく遊べない個体は、円滑に生きていけない。これらに鑑みると、他者に共感する能力が高ければ高いほど、その個体の生存率と繁殖成功度も上昇すると主張するダーウィンは正しかったと言えよう。このことは、動物と人間の理解に関して、さらなるパラダイムシフトが必要なことを意味する。本章では、それについて検討するつもりだ。「適者生存」という言葉は、もっとも成功した競争者に言及する際に用いられるのがつねだが、実際には、協力関係が、それと同じくらい、もしくはそれ以上に重要なのである。おそらくどんな動物でも、個体の生存には、多かれ少なかれそれら両者が求められるのだろうが、社会的な動物の登場によって両者のバランスは大きく崩れ、もっとも協力的に振る舞う個体が、生存競争を「勝ち抜く」確率がきわめて高くなったと考えてもよいはずだ。

協力的な行動の重要性と、それが野生の正義にどう関係するのかを理解するには、依然として今後の多大な研究を要する。何しろ、動物の情動に言及しても、判で押したように懐疑の目で見られたり、あからさまに嘲笑されたりしなくなったのは、最近になってからのことにすぎない。それまでは、道徳は人間独自のものと考えられていたのであり、場合によってはそれが人間性の定義だとされていた。現在ですら、人間と動物は実際に道徳を共有しているかもしれないという見方を頑強に否定する、科学者やその他の人々がいる。とはいえ、生物学者、神経科学者、哲学者、動物行動学者は、多くの動物種のあいだで進化してきた幅広い適応の戦略として道徳をとらえ始めている。動物と人間の道徳的な行動が、まったく同じだと言いたいのではない。そうではなく、「道徳」という言葉が指し示す現象は、生物が社会生活を営むうえでなくてはならないものだと主張したいのだ。情動と同様、道徳性の基本構成要素、すなわち協力、共感、公正、正義、信用は、私たちの祖先の贈り物なのである。

哲学的な問い
――道徳と倫理の区別

まず、私の主張が何ではないかを明確にしておこう。哲学者は道徳（moral）と倫理（ethic）を区別することがある。倫理とは、道徳的な信念と行動に関する哲学的な探究をいう（道徳哲学に等しい）。すなわち、「なぜ公正さが問題になり得るのか」「なぜ公正な行動とそうでない行動があるのか」など、正しさや公正に関する複雑な問題を熟考し研究することが倫理の目的である。本章で私が主張したいのは、行動に関する道徳的な決まりを有する動物がいるということであり、倫理を追求する動物が存在すると言いたいわけではない。地面に座って、前足をあごに当て、ロダンの《考える人》のように、あたかも世界を観照しているかの姿勢をとっていたとしても、動物は「善は何ゆえ善なのか」などと熟考しているわけではない。私たちの知る限り、それは人間だけに見られる現象なのだ。

道徳という言葉は、一四世紀にラテン語の *mos*（習慣）を拡張する用語として造語された。このラテン語の単語は、社会における個人の適切な振る舞いを意味し、とりわけ態度に言及する。もっとも基本的な形態においては、道徳は「向社会的な」行動、すなわち他者の福祉の向上（あるいは少なくともそれを低下させないこと）を意図する行動と見なし得る。つまり道徳は、個人間のやり取りのなかで生じ、社会関係という複雑な織物を編み上げる一種の紡績機としての役割を果たす、本質的に社会的な現象なのである。それ以来、道徳性という言葉は、正邪や善悪の違いを理解することを意味する簡潔な言い方になった。

動物に関して言えば、道徳性は一連の広範な社会的行動を指し、共同体のなかでどう行動すべきかについて内面化されたルールをいう。道徳的な行動には、協力、相互依存、共感、他者の援助などがあり、道徳性には情動的、感情的な構成要素と、認知的な構成要素の両方がある。私の同僚ジェシカ・ピアースの考えによると、人間においては、道徳性は、怒り、憤慨、罪悪感、良心、恥、評判、追放、報復、喜び、愛情、嫌悪、欲望など、いくつかの調整メカニズムとして強いられ、経験される。動物における道徳性の強要、調整については、今後さらなる研究が必要である。

「公正」の定義

遊んでいる動物は公正さを示し、不公正な行動にはネガティブに反応する。ここでいう「公正」とは、普遍的なものとして定義された善悪の基準を指すのではなく、個体の持つ特定の社会的な期待に関係する。たとえば、遊んでいる最中に、相手が攻撃的な行動をとったなら（協力しあいながら「遊ぶ」のではなく、自分を支配しようとしたり殴ったりすれば）、私たちは、社会的な作法からの逸脱を見て取って、不公正な扱いを受けたと感じるだろう。動物が行なう社会的な遊びの詳細とその力学を研究することで、私たち研究者は、動物もそれに類似する公正さの感覚を示すことを発見した。動物が社会的な期待を持つことを知る一つの手がかりは、遊びが「正しく」進まず、調整的なコミュニケーションを行なわずには、遊びを続けられなくなったときに彼らが示す驚きだ。たとえば、イヌ同士が遊んでいるときに、一方が過剰に攻撃的になったり、交尾を試みたりすると、他方は、「何かがおかしい」とでも言いたそうに、頭を左右にかしげ、横目で相手を見る。信頼関係の侵犯によって、遊びはすぐに中断され、プレイバウなどの身振りによって続ける意思を示すことで、相手が「謝罪」した場合にのみ再開する。

このように、社会的な遊びは「公正さの基盤」に依拠している。動物の遊びは、個体同士が協力しあうことに同意し、他にすべきことがない場合にのみ、そして遊んでいるあいだは、身体の大きさや社会的地位の差異を無視したり、無効化したりすることで、成立し得る。これから見るように、大きな動物と小さな動物が一緒に遊ぶこともあれば、また地位の異なる動物同士が遊びあう場合もあるが、どちらか一方が力や地位を行使するような状況下では、遊びは成立しない。

他の社会的な状況より不平等が寛容されるという点で、遊びは独自だと考えてよいだろう。複数の個体が活動に参加することを選択しなければ、遊びは起こり得ない。また、続けるには平等や公正さが必要であるという点で、それ以外の協力関係（狩猟や介護など）とは一線を画する。おそらく遊びは、唯一の平等主義的活動と言えるのではないか。集団の調和を維持するために個体間の差異を無効化する一連の社会的なルールや規則として、正義や道徳性を定義するなら、それらはまさに、動物の遊びのなかにも見出すことができる。

動物における道徳性
――彼らもそれを持っている

「道徳的動物」という見方を受け入れようとしない人々は、「そのような美徳に恵まれているのは明らかに人間だけである」、もしくは「人間を含めすべての動物は生まれつき不道徳であるか、最初から道徳観念を持たないかのいずれかである」と反論することが多い。これらの見解は、開いた心であるがままに動物を見ることを不可能にしている。したがって、ここで簡単にそれらの誤りを指摘しておこう。

人間を他のすべての動物よりすぐれた存在と見なしたい人々が、動物が道徳を持つ可能性に脅威を感じる理由は、そう考えた途端、人間の特別な地位が脅かされるように思われるからだ。人類はもっとも有徳な生物であるという考えは、一般に宗教に由来する。そのため、動物が道徳的たり得ると言うことは、深い宗教的な信念に反するものとしてとらえられる。しかし、それらは互いに対立するわけではない。人類が特別であるか、さもなければ特別な動物など存在しないと考えるのは誤りである。そのどちらも真であり得るのだ。人類は倫理とスピリチュアルな気づきを持ち、かつ、動物は道徳的な行動を示す。そう考えても何らおかしくはない。「人間の本性」は道徳のみによって定義されると考えるから、動物も道徳的な存在であるとする示唆に脅威を感じるのだ。私の考えでは、人類と動物の違いは、まさにこの「人間の本性」について考察する私たちの能力にある。イヌはイヌであり、「イヌの本性」について考えたりはしないだろう。しかしイヌも、他のイヌが信頼を裏切るような行動をとればそれに気づき、以後はそのイヌを辱めたり避けたりするようになるだろう。実のところ、道徳性は他の動物において進化したと仮定するほうが、進化論の見方にも合致する。人間を動物から分かつ指標として長らく見なされてきた特徴が、実際には両者を近づけるものだと判明した例は他にもある。たとえば、ジェーン・グドールが画期的な発見をする以前は、道具の使用は人間に限られると考えられていたが、現在では、多くの霊長類に加えカラスなどの動物も、道具を制作し使用することが知られている。

次に悲観的な反論を検討しよう。動物行動学会の親睦会で、高名な研究者の一人が、私が動物の道徳性を論じているのを聞いて、「酔っているのか」とでも言いたそうに頭を掻《か》きながら立ち去っていった。彼は、毎日のように人間が演じている、数限りない不道徳な行為をとりわけ懸念していた。いわく「道徳性のかけらもない#&$#^$%#*な人間が、動物の道徳について語ろうというのかね?」。

ある意味で彼は正しい。人間は公正さや配慮を欠いた利己的な行動に走ることがままある。人間の道徳的なきまりは、えてして偽善的なものになる。そのことは、新聞の第一面に目をやればすぐにわかる。確かに強盗殺人は受け入れられないが、自己防衛の殺人や「正義の」戦争の名のもとに遠方の国で行なわれる殺人なら認められる。人間はうそをつき、盗み、だまし、「自分はまちがっていない」と感じられるよう自らの行動を正当化する。ときにそのありさまは、動物より人間のほうが道徳的に「上」だなどとどうして言えるのかが不思議に思えてくるほどひどい。

だが、それと同時に、人間の親切、同情、寛大さの例を見出すのはいとも簡単だ。動物が公正な態度をとったり、不公正な態度をとったりするように、人間は有徳な行動をするときもあれば、下劣な行為に走ることもある。とはいえ、動物は人間より有徳だと主張したいのではない。程度はさまざまだとしても、多くの動物は、行動に関する社会的な基準を持っていると言いたいのだ。それを遵守する個体もいれば、侵犯する個体もいる。しかし彼らのすべては、その基準を把握しているのであって、自身の行動によって生じた社会的な結果に服さなければならないということを知っている。また、イヌの道徳はチンパンジーのものと同じである、あるいはチンパンジーの道徳は人間のものと同じであるなどと主張しようとしているのではない。とはいえ、動物の行動を注意深く観察することで、私たちが人間の道徳と呼んでいるものの進化的な起源を見出せるはずだと、私は考える。

ジェロームとファード
――遊ぶ二匹のイヌ

数年前、私の学生ジョシュが、体重およそ五〇キロの愛犬（マラミュート）が遊んでいるところを観察したときのことをかなり興奮した声で話してくれた。次のような話だ。

きょうサニタス山で驚嘆すべき光景を目撃しました。ジェロームは、大きさが自分の四分の一くらいしかない、ファードという名の変わったイヌと遊びたがったのです。ジェロームはプレイバウをし、ほえ、尻尾を振り、仰向けになって転がり、突然立ち上がり、そしてもう一度プレイバウをしました。ところが、ファードはそれにまったく応じませんでした。無関心な様子をして立っているだけだったのです。しかし一分ほどが経過し、どこかの大きなイヌが放尿したばかりの茂みをジェロームがかいでいると、ファードがぶらぶら歩きながら近寄ってきて、ジェロームの首に文字通りかじりついたのです。ファードの足は空中に浮いているようなありさまでした。そのとき私は、「やっちまった。こいつジェロームに殺されちまうぞ！」と思いました。

どうなったのでしょうか？　ジェロームは、ハエを追い払うかのようにファードを肩越しに払いのけ、振り返ってプレイバウをしました。そして、この小さなイヌの頭を持ち上げてそっと口に含んだのです。それから三〇分間、二匹は一緒に遊び、そのあいだジェロームは、決して独断的な態度をとったり、不公正に振る舞ったりはしませんでした。ファードをそっと噛み、軽くたたき、転がり、前足で顔をさわっていたのです。遊びが少々荒っぽくなると、ファードは尻尾を垂らしながら後じさりし、やりすぎたかどうかを確かめるかのように頭を左右にかしげました。するとジェロームはもう一度プレイバウをし、二匹は遊びを再開しました。どうやらジェロームは、この小さな仲間と遊ぶためには相手を気遣い、公正に振る舞わなければならないことを知っていたようです。二匹は互いに相手のしたいことを知っていたのです。そして協力しあいながらそれを手に入れたのです。イヌとは何と賢い生き物でしょうか。自分の目が信じられないほどでした。

ジョシュは優秀だ。動物の遊びの「言語」（これについては後述する）を理解しているので、この二匹のイヌの遭遇とコミュニケーションの内容を「読みとる」ことができた。とはいえ、二人の少年がくんずほぐれつしているのを遠くから見て、それがほんとうのけんかなのか、それともふざけあいなのかがすぐにわかるのと同じように、これら二匹の不釣り合いなイヌが、けんかをしているのではなく遊んでいるのだということは、数分間も観察していれば、誰にでもわかったのではないかと思う。というのも、動物が遊ぶときには、その旨に同意しなければならないからだ。そして公正に振る舞い、協力しあう。この協力の言語は、誰にでも簡単に見分けられる。さらに言えば、協力的で公正な関係が損なわれると、遊びは中断するばかりでなく、継続不能になる。非協力的な遊びなどというものは存在しない。遊びが動物の道徳的な生き方を垣間見るための透き通った窓になる大きな理由は、まさにこの点にある。

遊びとは何か？

私の遊びの研究のほとんどは、イヌか、その野生の近縁種コヨーテ、オオカミ（つまりイヌ科の動物）を対象にしている。したがって本章では、私のよく知るイヌ科の動物を主に取り上げるが、遊びと社会的な道徳性に関する私の見解を裏づける例は、他の動物にも数多く見出せる。子ネコ、チンパンジー、クマ、ラットなど、疲労し切るまで遊ぶ動物はいくらでもいる。私はこの文章を涼しい夏の朝の六時に書いているが、窓の外ではちょうど二匹のアカギツネが遊んでいる。二匹はほぼ毎日そうしている。プレイバウをすることで一匹がもう一匹を遊びに誘うと、後者はそれに応えて取っ組み合いを始め、後足で立ち上がり、かん高い声をあげ、パンチを繰り出し、互いを追いかけあい、休み、そして遊びを再開する。どちらかが強く噛みすぎると、遊びはしばらく中断し、何も問題がないことを、つまりその行為も遊びであることを確認するかのように互いを見あう。しばらくすると、また遊びが始まる。こうして二匹は、フェアプレイのルールが維持されるよう互いに調整しあっているのだ。このような調整が行なわれている限り、いくら激しく遊んでいても安心していられる。というのも二匹は、相手が自分を叩きのめしたりなどしないということを知り、目標を共有しあえるからだ。

遊びは、スピリット（Spirit）、対称性（Symmetry）、同期性（Synchrony）、神聖（Sacredness）、魂

（Soulfulness）という「五つのS」によって特徴づけられると私は考えている。遊びのスピリットは、動物が激しく走り回り、取っ組み合いをし、押し倒しあうときにはっきりと現れる。対称性と同期性は、互いを信頼することへの同意、すなわち遊びがけんかにならないよう協力しあおうとする意図の共有によって得られる調和のなかに反映される。そして、この信頼は神聖なものだ。また、遊びには深さがある。動物は、遊びの権化になったと言えるほど、完全に遊びに没頭することがある。かくして遊びは、自己の本質を表現する、魂のこもった活動だと言える。

また、遊びの流れのなかには、大きな自由度と創造性がある。これらは簡単に観察でき、とても驚異的だ。私はこれらを、柔軟性（Flexibility）、自由（Freedom）、友愛（Friendship）、陽気さ（Frolic）、楽しみ（Fun）、流動性（Flow）から成る「六つのF」と呼ぶ。動物は、走り回り、乗っかりあい、とんぼ返りをし、噛みあいながら、一連のシナリオと社会的な行動を再現しているのだ。遊びにのめり込めばのめり込むほど、自分たちの行動を把握しておくことはそれだけ困難になるはずだが、動物にはそれが可能なのである。動物は生存に役立つ重要な行動を「実践」し「練習」しているという可能性も考えられる。絶えず変化する遊びの流れのなかに、闘争、獲物探し、捕食者の回避をする際にとる行動や、交尾時の動作が混交して見出せる場合も少なくない。これらすべての行動が同時に出現することは、遊んでいるとき以外にはない。

愉快、愉快、愉快
——なぜ動物は遊ぶのか？

動物が遊ぶのは、そうすることが楽しいからだ。楽しみは、それ自体が大きな報酬になる。イヌなどの動物は、飽くことなく遊ぼうとする。だから遊びをやめさせるのはとてもむずかしい。正常な動物は、自らが楽しめない行動をわざわざ探し求めたりなどしない。遊びに結びついた喜びの感情はとても強いため、負傷、消耗、それによる成長の阻害、捕食者に見つかって食べられるなどのリスクを凌駕《りょうが》する。また、若い動物は、最初から遊び方を知っていることが前提になり、うまく遊べない個体は、何か問題を抱えていると見なされる。

遊んでいる動物を見ていると、彼らの深い喜びを感じとることができる。遊びは伝播しやすく、遊んでいない動物も喜びを感じ表現する。ミラーニューロンの研究（第5章を参照）は、「動物は他の個体の情動を感じることができる。動物の集団のなかで、遊びの雰囲気が迅速に広がるのは、おそらくそのためである」という見方を裏づける。ノルウェーのドッグトレーナー、テューリッド・ルガースは、遊びのシグナルを「カーミングシグナル（calming signal）」と呼ぶ。[*3] 動物は一般にリラックスしているときにしか遊ばないので、遊び固有の喜びや落着きが、見ている者に伝わりやすいのだ。目で観察できることは、科学的な研究によっても実証し得る。遊びが楽しく快をもたらすものであるという考えは、ラットの脳化学物質の研究によって支持されている。著名な神経科学者ヤーク・パンクセップは、オピオイド物質とラットの遊びの密接な関係を見出している[*4]。オピオイド系は遊びに結びついた快や報酬を増大させる場合があり、その活動の増加は遊びを促進する。ラットに関してこれが正しいのなら、また、人においては正しいことがすでにわかっている点に鑑みると、イヌ、ネコ、ウマ、クマに関して、遊びによって引き起こされる喜びの神経化学的基盤に大差があると考えるべき理由はほとんどない。

事実、これまで見てきたように、動物と人間は、喜びや快などの、情動の経験や表現に重要な役割を果たすいくつかの化学物質を共有している。最近の研究によれば、協力しあい公正に振る舞いあうとき、人は快く感じる。遊びは協力や公正さに依存するという点を考慮すると、このことは動物が遊びを好む理由を説明してくれるかもしれない。ジェームズ・リリングらはｆＭＲＩを用いて、人が協力しあうとき、脳の快楽中枢が強く活性化することを見出している[*5]。この重要な研究は、人同士の協力には堅固な神経学的基盤が存在することを、協力が快をもたらすことを、さらには友好的に振る舞うことが当人に満足感をもたらすものであることを示唆する。また、尾状核と呼ばれる人の脳の組織に「信用中枢」が見出されている[*6]。尾状核の活動は、寛大な行為のやりとりによって最大化する。動物にもこの「信用中枢」が存在すると考えるべき数多くの理由がある。要するに、最近の研究によれば、私たちは友好的に振る舞いあうよう、生物学的に配線されている可能性が高いということだ。

友好的な振る舞いが快をもたらすのなら、そうするべきすぐれた理由になる。また、動物の持つ行動パターンを利用し発展させることは、進化の効率的な方法だと言える。

まずあいさつから
——動物はどのように遊ぶのか?

鳥類や他の多くの動物が社会的な遊びをすることで知られているが、それらの動物の遊びの本質を解明するのに役立つ詳細なデータはまだごく少ない。しかし私は、イヌ科の動物を研究するなかで、社会的な遊びを開始し維持するために独自のシグナルが用いられていることを知った。遊びは自発的な行動であり、また同意がなければ始まらない。

動物はどうやって相手に遊びを始める意志を伝えるのだろうか? 第2章で述べたように、遊びはプレイバウによって始まることが多い。そしてそれは、遊びが闘争や交尾などの他の行動に転化しないよう、遊んでいるあいだも繰り返される。両者の合意が得られると、複雑かつ迅速な情報の交換が遊びながら行なわれ、協力の内容が状況に合わせて細かく調節される。かくして両者の活動が遊びとして続けられる。プレイヤー同士が遊びの意図を表現し共有することは、非常に重要なのだ。

これも前述したことだが、動物が遊ぶときには、捕食、捕食者の回避、交尾をするときなどの、別の文脈で実行される動作が用いられるケースが多い。このように、社会的な遊びのなかで実践される行動パターンは、実際の攻撃や交尾と誤解される危険をはらんでいるので、「私は遊びがしたい」「これから私が何をしようとそれは依然として遊びだ」「今私がしたことは遊びだ」というメッセージを伝えるために、両者のあいだでプレイバウが用いられるのである。

遊びの力学を解明するためには、たとえば公園でイヌが遊んでいるところを何となく見ているだけのときには気づかずに見失われている、微細な動きに注意を向けることが肝要だ。イヌや他の動物は、何が起こっているかにつねに注意を払っているが、私たちもそうする必要がある。私が遊びを研究するときには、注意深い観察と、ビデオの綿密な分析を重要視している。ビデオテープを一フレームごとじっくり見ながら、動物が何をしているのかを、また、遊んでいる最中に意図や欲求に関する情報をどのように伝えあっているのかを分析するのだ。ただ、これは退屈な作業になりがちで、実際、意気揚々としてイヌの遊びの研究を始めた学生のなかには、どんな作業が伴うかを知ってから考えを変えた者もいる。

長年の研究のあと、私は、「あいさつ《プレイバウ》」がランダムにではなく、目的をもって実践されている事実をつきとめた。たとえば、攻撃的で捕食的な、危険をはらんだ遊びをしているときには、左右に素早く頭を振って噛みつく動作が見られるが、このような動きは、その意味がプレイバウによって修正されない限り、ほんとうの攻撃行動として誤解される可能性が高い。プレイバウは、遊びを始めるにあたり「私は遊びがしたい」というメッセージを伝えるためばかりではなく、前述のような噛みつく動作をする直前に、あたかも「これから強く噛みつくけれど、それは依然として遊びだ」

という意思を伝えるかのように用いられるということがわかって、私は驚いた。プレイバウはまた、激しい噛みつきの直後にも、「激しく噛みついて申し訳ない。だがそれも遊びだ」というメッセージを伝えるかのごとく用いられる。つまりプレイバウは、互いの欲求に注意を向けるための、区切りや感嘆符として機能しているのだ。

イヌや野生の近縁種の幼獣は、プレイバウなどのシグナルを用いながら公正に遊ぶ方法を素早く会得していく。また、彼らのプレイバウに対する反応は生得的なものだと思われる。ブタは、はずむように走る、頭をひねるなどの動作をシグナルに用いて、遊びの意図を伝達しあう。ジェシカ・フラックらは、若いチンパンジーが、年少のパートナーの母親に遊びを中断されないよう、シグナルをひんぱんに用いることを発見している。[*7] このような活動を観察した研究者は、「遊びはとても協力的である」とコメントするのがつねだ。遊びは注意深く交渉され、そのムードが継続するよう随時微調整されるものだという点はいくら強調してもしすぎにはならない。遊びには従わねばならない社会的なルールが存在するのだ。

多くの動物においては、遊びのシグナルが欺瞞《ぎまん》に利用されるケースは、ほとんど見当たらない。それは正直なシグナルであり、攻撃的な意図を隠すために利用されることはごくまれにしかない。「私は遊びがしたい」と言いながら、相手が無防備になったタイミングを見計らって、突如ほんとうの攻撃に転じたりすることなどまずないのである。これはおそらく、虚偽に対する制裁があるからだと考えられる。私が確認した例をあげると、プレイバウをしたあとで攻撃に転じるコヨーテは、以後パートナーとして選ばれなくなり、また他の個体を遊びに誘っても拒否されることが多くなる。私が実施した野外調査では、そうなった個体は群れを離れることが多く、かくして繁殖成功度は低下する。

とても単純なことだ。イヌは、遊びたければ、プレイバウをすることでまずその意図を相手に伝えなければならない。それに対してプレイバウによる返答が戻ってこなければ、相手は遊びたくないのであり、もとのイヌは別の相手を探さなければならない。

その他のシグナル――役割交替、セルフ・ハンディキャッピング

社会的な遊びに用いられるシグナルはプレイバウだけではない。他に重要なものとして、役割交替とセルフ・ハンディキャッピングがあげられる。これらは体の大きさや社会的な地位の差を埋めるために用いられ、遊びに必要な相互依存と協力関係を促進する。

セルフ・ハンディキャッピング（「遊び時の抑制（play inhibition）」とも呼ばれる）は、遊びの文脈以外では、その個体に不利になるような行動パターンの実行に関するものだ。たとえば、コヨーテは遊んでいるときには全力で相手を噛もうとしない。あるいはそもそも、手加減しながら遊ぶ場合もある。このように、噛む強さを抑制することで、遊びのムードが維持される。その昔、生後二二日のコヨーテを抱え上げようとして、針のように鋭い歯で親指を噛まれたことがある。出血し、とても痛かった。若いコヨーテの皮膚は非常に薄く、仲間に強く噛まれると、私が噛まれたときと同様、

激痛を感じるはずだ。そのことは、噛まれたほうがかん高い声をあげていることからもわかる（私はなんとか我慢したが）。激痛は遊びを妨げる。大人のオオカミが全力で噛むと、一平方インチ（二・五四センチ）あたりおよそ六八〇キログラムの圧力がかかるので、力を抑制する必要があるのだ。かつて、捕獲した成体のオスオオカミ、ルピーに、エサのある場所を愚かにも指で示そうとしたことがある。するとただちに、彼は、伸ばした私の前腕を口でとらえ、穏やかにではあるが締めつけた。歯型は二週間消えなかったが、皮膚を破らないよう噛んでいた。私たちは「遊んで」いたわけではないが、それでもルピーは噛む力を抑えたのだ。飼いイヌに関して言えば、子イヌ同士を遊ばせる大きな利点の一つは、噛む力の抑制を学ぶことで、他のイヌを傷つける可能性を減らせる点にある。

カンガルーの一種、アカクビワラビーも、セルフ・ハンディキャッピングを用いる。[*8] 生物学者ダンカン・ワトソンらの報告によれば、この遊び好きの動物は、相手の年齢に合わせて遊ぶ。パートナーが年少だと、年長のほうは、地面に足を平につけた防御的な姿勢をとり、打ちあいというより前足によるたたきあいの様相を呈する。また、年少のパートナーのやり方に寛容で、遊びがうまく続けられるよう先導する。

ラットにおいても、公正さと信用は、遊びの力学の重要な要素を成す。心理学者セルジオ・ペリスは、ラットの遊びが、互いの評価、観察、そして遊びのムードを維持するための行動の変更と微調整から成ることを発見している。[*9] 遊びのルールが破られ、公正さが損なわれると、遊びは続けられなくなる。

役割交替は、遊びの最中に、支配的なほうの個体が、真の攻撃のときには通常起こらないような行動をとるときに生じる。たとえば、支配的なオオカミの個体は、闘争しているあいだは決して仰向けに転がったりしないが、遊んでいるときはそうすることがある。状況によっては、役割交替とセルフ・ハンディキャッピングが同時に起こる。支配的な個体は、従属的な個体と遊ぶ際に、仰向けに転がると同時に噛む力を抑制することがあるのだ。それらは、抑制のシグナルとともに、遊びたいという意図を伝達するのに役立ち、公正な遊びを維持するのに重要な役割を果たす。

公正さは善きこと
——遊びの恩恵

遊びは時間の浪費なのではなく、その個体の心と身体の健康に不可欠なものだ。また、脳の成長の栄養剤でもあり、実際に大脳皮質のニューロン間の接続を増加させ、脳の配線をし直すのに役立つ。さらには、論理的推論や行動の柔軟性、すなわち絶えず変化し予測不能な環境下で適切な選択をする能力などの認知的なスキルを磨く。

しかし、遊びのもっとも重要な恩恵の一つは社会的なもので、各個体とグループがうまく折りあっていけるよう手助けする。社会的な遊びは、信用、協力、礼儀、公正、寛容、謙遜に依存し、また、これらについて教えてくれる。遊びでかけひきを行なうのは、イヌとその近縁種だけではない。最近の霊長類の研究によって、処罰と謝罪が協力の維持に重要な役割を果たすことが判明している。*10

なぜ動物は、注意深く遊びのシグナルを用いるのだろうか？　なぜ役割交替とセルフ・ハンディキャッピングを行なうのか？　社会的な遊びをしているあいだに、たとえばどの程度強くまで噛んでも構わないのか、どれくらい乱暴に振る舞ってよいのかなど、どんな行動パターンが相手に受け入れられるのかについての、また、安全で脅威のない楽しむための場で互いの不一致をどう解決すればよいのかについての基本的な決まりを、未熟な個体が学習できると考えてもよいはずだ。この見方は、人間の子どもに団体スポーツが奨励される理由と似ている。団体スポーツは、危険の少ない状況下で、振る舞い方、協力のし方、あるいは問題の解決方法などを教えてくれるのだ。動物は、公正に遊ぶことを第一とし、そのために相手に対する信用を重んじているということを、行動によって示す。そこには、許可される、もしくは許可されない行動を規定する、社会的行動の決まりが存在するのだ。懲罰がほとんどない社会的な遊びほど、公正や協力の基礎を成す社会的なスキルを学習するのにふさわしい環境はない。それに加えて、特定の相手と遊ぶことで学んだ行動規範を一般化して、グループのその他のメンバーに、また、食べ物の分配、資源の防御、毛繕い、ケアなどの種々の状況に応用できるかもしれない。

遊びは楽しいばかりでなく、有益な活動なのだ。さまざまな研究によって、動物は、遊びを通して公正や協力の感覚を積極的に身につけることが示されている。このことは、遊びが頓挫した例によって、もっとはっきりとわかる。

悪評を買う
――信用を裏切ることのコスト

楽しく感じられなければ動物は遊ばない。ひんぱんに遊ばない動物は、他の個体とコミュニケーションがとれない。というのも、そのような動物は、遊びたいという意思を仲間に伝えることもできなければ、仲間が何をしたいのかも理解できないからである。かくして社会化に失敗し、仲間とコミュニケーションがとれないために、自らが所属する動物種の正式メンバーとしてうまく機能できないのだ。首尾よく遊ぶ能力の欠如の影響は、最初は小さいが、やがてきわめて大きくなり得る。たとえば、イヌは協力せずにズルをする個体を許さず、避けたり、遊びのグループから追放したりする。公正さの感覚にもとる行動をとると、その結果を甘受しなければならないのだ。アレクサンドラ・ホロウィッツは、カリフォルニア州サンディエゴの砂浜でイヌの遊びを研究していたとき、アップイアーズというイヌが、遊びのグループに加わろうとして、他の二匹のイヌ、ブラッキーとロクシーの遊びの邪魔をしているところを観察した。[*11] グループからいったん追い出されたアップイアーズが再び戻ってくると、ブラッキーとロクシーは遊びを中断し、遠くで音がしているほうへ目を向けた。ロクシーが陽動的な行動に出て音のするほうへ駆け出すと、アップイアーズもその方向へと走り去っていった。こうしてアップイアーズを追い払った二匹は遊びを再開した。

しかしもちろん、生物学者にとってもっと重要なのは、遊びなどの活動の違いが個体の繁殖成功度にどんな影響を及ぼすかだ。遊びの違いや、フェアプレイに対する態度が繁殖成功度に影響を及ぼすのだろうか？　公正さや道徳性の感覚が、それ自体適応的であるがゆえに、つまり個体の、ひいては種《しゅ》の生存の可能性を向上させるがゆえに進化したと主張したいのであれば、（ダーウィンが指摘するように）より「有徳な」個体のほうがそうでない個体より、環境にうまく適応し、多くの子孫を残せるという点を示さなければならない。遊びと公正さが密接に関係しているのであれば（実際にそう思われる）、首尾よく遊べる個体は、そうでない個体に比べて繁殖成功度が上がるのだろうか？フェアプレイを繁殖成功度や適応度に直接結びつけるのはほぼ不可能だが、いずれにしてもほとんど、どんな行動の結果も、直接的、因果的に繁殖成功度に確かに結びつけることはきわめて困難だ。しかし私たちが行なった野生の、および捕獲されたコヨーテを対象にした研究では、遊びと適応度の関係を示唆する興味深いデータが得られている。

フェアプレイという点に関して言えば、イヌ、コヨーテ、オオカミは学習が早い。というのも、仲間の信頼にそむくと大きな制裁が待っているからだ。また、仲間をだましていることが露顕すれば、懲罰の情報は公になるかもしれない。生物学者はこのような懲罰を「コスト」と呼ぶ。これは、ゲームのルールに従って遊ばないと、その個体の繁殖成功度が低下することを意味する。私たちが行なったコヨーテの野外調査では、フェアプレイを無視する個体や、ほとんど遊ぼうとしない個体が直接的なコストを払わねばならないことが明らかになった。仲間に避けられている、あるいは自身が仲間を避けているために、他の個体とあまり遊ぼうとしない子コヨーテは、グループの他のメンバーと強い結びつきを持てない。そしてそのような個体は、グループを去って自ら新しいグループを形成しようとする確率が高い。しかしグループを離れて生きることには、それに属している場合に比べ、はるかに大きなリスクが伴う。ワイオミング州のグランドティトン国立公園に棲息するコヨーテを対象に私たちが行なった七年間の研究では、属していた群れからさまよい出て行った満一歳の子の五五パーセント以上が死亡した。それに対し、群れに残った同年齢の個体で死亡したのは二〇パーセントに満たなかった。さまよい出たのは遊びをしないことが原因なのだろうか？　確実なところはわかっていないが、捕獲したコヨーテを対象に集めたデータによれば、遊びの欠如は、その個体が、同腹きょうだいや群れの他のメンバーから離れて、単独で過ごす時間を長引かせる主要な要因であることが判明している。

　証拠がすべてそろっているわけではないが、社会的な遊びの挫折が当の個体、さらには群れ全体にネガティブな影響を与えることが当然考えられる。少なくとも社会的な動物においては、いったん取り決められ受け入れられたルールに従って遊ぼうとしないだまし屋《チーター》は、自然選択によって淘汰《とうた》されるであろう。それとは対照的に、人間であれ動物であれ、グループの行動規範を学習し公正に遊ぶ個体は、生存し繁栄する確率が高い。どうやら道徳は、個体の適応度を向上させるがゆえに進化したように思われる。

「大きな問い」
——道徳は遺伝的に受け継がれるのか？

動物は、私たちが道徳に用いている構成要素を備えている。
——フランス・ドゥ・ヴァール『動物のあいだの名声（*Honor among Beasts*）』*12

道徳は何百万年にわたって進化したとする見方は、何も最近のものではない。動物は道徳的な行動の多くを人間と共有するという考えも同様である。チャールズ・ダーウィンは、人間の道徳的な感覚が進化のプロセスの産物だと述べ、動物の道徳性についても考慮に入れていた。しかし、科学者がこの問題に真剣かつ一貫した注意を向けるようになったのは最近のことにすぎない。現在、道徳性の生物学の魅力的な体系が、徐々に形を整えつつある。私たちは、動物の生活における道徳の役割を理解し始めており、また、道徳的な情動と認知の神経生物学的な起源、すなわち人類が他の動物と共有する起源を解明しつつある。

道徳は、社会的な本能から自然に発展した延長形態だというのが、ダーウィンの見るところだ。動物の血縁選択や互恵的利他主義に関する初期の理論は、公正、公平、共感、評判、懲罰、寛容などの向社会的な行動を対象とする、より広範な研究へと今や開花している。それと同時に、神経科学は脳と倫理の関係を探究している。ここまで見てきたように、道徳的な行動の多くは、脳の情動中枢、すなわち人類が動物と共有する神経構造に由来するということが明らかになりつつある。

これらの研究はすべて、私たちが行なった動物の遊びの研究によって裏づけられる。すべてではないとしてもほとんどの個体は、公正に遊ぶという、グループの結束を高める戦略を採用することで恩恵を受けるので、そうすることに対して自然選択が強く作用していると考えられる。そしてその結果、遊びへ誘うシグナル、他の活動に比べてはるかに多様な遊びの動作シークエンス、セルフ・ハンディキャッピング、役割交替など、数々のメカニズムが進化したのである。さまざまな哺乳類において、これらすべての行動は、メンバーに社会的な遊びへの参加とその継続を促し、公正に遊ぶことへの同意と、それによる利益が容易に得られるよう進化したのだ。遊びが不公正になったり、非協力的になったりすることはめったにないという野外調査の観察結果によって、自然選択はルールに従って遊ばない個体を排除する方向に作用することがわかる。

動物におけるこの種の平等主義は、人類の有する社会道徳の進化の前提を成すと考えられている。これは何に由来するのだろうか？　正直に言えば、その答えはまだわかっていない。社会道徳の進化の研究は、もっとも刺激的で困難なプロジェクトなのだ。とはいえ、これまでに得られた証拠から判断すると、進化の連続性を信じるよき進化論支持者なら、人間だけが共感と道徳の能力を持つと主張するのは、性急であることがわかるはずだ。研究の方向は、より「革新的な」進化の考え方に大きく傾きつつあるとはいえ、この見方は、最低でも、もっとも無難で注意深いアプローチになる。

もう一つのパラダイムシフト
——生存は競争ではなく協力に依存する

ほとんどのロバは、チャンスが与えられれば、暴力を行使せずに世界を築けるだろう。聖フランシスのように、自然の世界を、ライオンと子ヒツジが肩を並べる、名にし負うエデンの園に変えることだろう。（……）これら二頭のロバの無垢《むく》や傷つきやすさや優しさは、平和を愛する文学の巨人トルストイにどれほどの影響を与えられただろうかと夢想することがある。

——マイケル・トバイアス＆ジェーン・モリソン『ロバ（*Donkey*）』*13

もっとも基本的なレベルで、私たちの本性は共感に満ちている。競争ではなく協力が、人間存在を支配する根本原理の中心に存在する。そう私は信じている。（……）私たちは根源的な善性を表現する生き方によって、人間性を成就し、自分の行動に威厳、価値、そして意味を与えるのである。

——ダライ・ラマ『私たちの根源的な本性を理解する（*Understanding Our Fundamental Nature*）』*14

かく言うダライ・ラマを楽観主義者と見なす者もあろうが、法王を支持する科学的な証拠はますます増えつつある。まさに今や、「適者生存」の意味を訂正すべきときがきたのだ。

これまでのところ、協力に関する研究のほとんどは人間を対象に行なわれてきた。それによって、人間は、私たちがときに考えているほど利己的でも自己中心的でもないということが判明している。経済学者エルンスト・フェールらの発見によれば、公正に扱われると、多くの人々は、自発的に協力しあうようになり、また協力しようとしない人を罰するようになる。[*15]彼らはこれを「強い互恵性」と呼び、それは「まったくの自己本位の行動が協力関係を完全に破壊するような状況下で、ほとんど普遍的とも言える協力関係の形成を導く」のだ。また、人々は、第三者に対して不公正に振る舞う人を進んで罰しようとするとコメントしている。

また、人間には利他的に振る舞う自然な傾向があるという証拠が存在する。フェリックス・ウォーネケンとマイケル・トマセロの発見によれば、生後わずか一八か月の乳児でも、たとえば落とし物を探している人など、困っている人を助けることがある。[*16]若いチンパンジーも同様だ。この研究がとても興味深いのは、まだおむつがとれず、たどたどしい言葉しか話せない乳児が、落とし主の課題の達成に必要なものだとわかったときだけ、落とし物を拾うのを手伝うという点である。たとえば、乳児は、実験者がわざとではないように見せかけながら落とした洗濯ばさみは拾うが、明らかに故意だとわかるように地面に投げつけたものは拾わない。このように、子どもは、ボディーランゲージを通じて必要性の有無を見分け、必要がある場合にのみ他者を助ける能力を持っているのだ。

動物を使った研究によって同様な発見がなされている。何度も繰り返してきたように、明らかに遊びには協力が必須であり、ほとんどすべてのコミュニケーションはその維持のために動員される。とはいえ協力は、さまざまな社会的状況のもとで見られる。霊長類学者ロバート・サスマンとポール・ガーバーの報告によると、キツネザルなどの昼行性の原猿類、新世界ザル〔中米から南米大陸にかけて分布するサル〕、大型類人猿にとって、社会的なやりとりの大部分は、反発的、分裂的ではなく、親和的なものだ。[*17] これらの動物には、親和的なカテゴリーに分類される毛繕いや遊びが顕著に見られ、平均すると、原猿類では九三・二パーセントの、新世界ザルでは八六・一パーセントの、旧世界ザル〔アジアやアフリカに棲息するサル〕では八四・八パーセントの、そして未発表のデータによればゴリラでは九五・七パーセントの社会的なやりとりが親和的なものである。

これらの数値が他の動物種にも当てはまるのなら、動物の行動は競争に駆り立てられているのではなく、協力と友好関係は単に攻撃性と闘争の幕間《まくあい》劇などではないことになる。実のところ、動物の協力についてわざわざ解説するのは陳腐かもしれない。というのも、動物が協力しあうことは誰もが知るところで、動物がそうする理由は明白だからだ。つまりグループで協力しあえば、各メンバーが生き残る可能性は向上する。それにもかかわらず、進化の理論の大部分は、個体間の協力ではなく競争に基礎を置く。その上、協力は競争の副産物で、進化のプロセスを通して直接選択されたものではないと考える者もいる。この見方に従えば、動物が協力しあう唯一の理由は、四六時中競争しあっていれば、社会集団を安定して維持できないからだということになる。たとえばオオカミの群れのオスの全メンバーが、つねに争いをしかける攻撃的な個体であったなら、その群れは安定して存続できないであろう。長期間グループの結束と安定性を保つには、争いは協力的な関係に裏打ちされていなければならない。

現在の研究では、広く浸透している「適者生存」の考え方は、進化の第一の要因とは見なされなくなりつつある。協力は、イデオロギー的な偏見のために、これまで長いあいだ無視され続けてきたが、協力に関する論文が次々に発表されつつある現在の研究動向は、今や潮流が変わり始めていることを示している。事実、調査すればするほど、ますます協力の存在が確認されるという状況にある。確かに動物は争いあうが、社会的行動の進化の中心にあるのは協力であり、この事実だけでも協力は生存のカギになり得る。動物は自然に協力しあい、協力は、すでに確立され安定して維持されている、行動の社会的基準、すなわち道徳規範に依存する。これこそ、進化の理論の出発点、そして動物の生活に関する私たちの議論の基盤となるべき見方なのである。

生態学者のなかには、その先を考えている者もいる。[*18] 彼らは、「生態的相互作用」、すなわち異なる動物種間のやりとりや、動物と植物のやりとりを研究する場合、競争や捕食より、もっとポジティブな生態的交換に焦点を置くべきだと考えている。共同体《コミュニティー》の進化や生態系には競争や捕食以上のものがあると主張するこれらの研究者は、主流の科学者から「異端生態学者」と呼ばれてきた。その彼らの主張によれば、「助成（facilitation）」と呼ばれるプロセスが競争とともに作用し、共同体的な組織の進化にとって重要な競争メカニズムに対するバランスを提供する。オオカミの群れやヒヒの一団などの集団の内部における個体同士の協力が有益であると、すなわち、争いあうより、協力しあうことで、すべてのオオカミがより大きな利益が得られると主張するのはよいとしても、協力は森林、あるいは生態系全体の不可欠な構成要素なのだろうか？　これは興味深い問いであり、ダライ・ラマならもっと研究されてしかるべきテーマだと考えていることだろう。

「普遍的な」道徳性は存在するのか？

> 正義は他者への気づかいを前提とする。それは第一に感覚なのであって、理性的、社会的な構築物ではない。そしてこの感覚は、重要な意味において自然のものだと主張したい。
>
> ——ロバート・ソロモン『正義への情熱（*A Passion for Justice*）』*19

私たち人間は動物界のなかで唯一の道徳的な存在だと主張することは、利己的で人間至上主義的な種差別だと言える。遊びのなかで示される社会道徳は、多くの動物によって共有される適応の産物である。公正な態度が進化したのは、成熟するにあたって求められる社会的な（およびその他の）スキルを、若い個体が獲得できるよう導くためだ。また公正さは、集団における円滑で効率的な協力を維持するのに必要とされる。集団での狩りで、異なる種が協力しあうケースさえある。異なる動物種間で、協力の方法や、公正さを維持する取り決めに一貫性が見出されるのなら、普遍的な道徳性を発見できるかもしれない。それはまた、食べ物の調達、維持、分配や、毛繕い、あるいは集団による年少のメンバーのケアに重要な役割を果たす。

　生物学者マーク・リドレーは『美徳の起源（*The Origins of Virtue*）』で、「人間は不公正に対してとても大きな動揺を示す」と指摘している。しかし、動物が不公正にどう反応するかについてはあまり知られていない。とはいえ、動物の遊びの観察を通じて、解明に向けてすぐれた足がかりが得られつつあり、やがて不正義に対する感覚が、人間と動物に共通する特徴として取り上げられる可能性は高い。寛容はどうだろう？　この特徴も、もっぱら人間にのみ認められる道徳的な認識力と見なされてきたが、著名な進化生物学者デイヴィッド・スローン・ウィルソンは、寛容が複雑な生物学的適応だと指摘している。著書『ダーウィンの大聖堂——進化、宗教、社会の本性（*Darwin's Cathedral: Evolution, Religion, and the Nature of Society*）』で、ウィルソンは「寛容は、動物界全体に広がった生物学的基盤に依拠する」と述べている。[*20] そしてさらに「寛容は、無数の異なる文脈のもとで適応的に機能するために必要なものであり、それには数多くの側面がある（傍点はウィルソン）」と言う。ウィルソンはおもに人間の社会に焦点を絞っているが、彼の見方は容易に、そして確実に動物にも適用できるだろう。実際のところウィルソンは、寛容などの適応的な特徴が、かつて考えられていたほど知能を必要としないものであると指摘している。これは動物が賢くはないという意味ではなく、寛容は、たとえ特に大きな脳を備えていなくても、多くの動物が持つ基本的な特徴であり得るということだ。

明らかに道徳性と美徳は、進化の過程のなかで突然人類とともに芽生えたのではない。美徳、平等主義、道徳性の起源は、人類よりも古い。動物のフェアプレイは社会道徳の原始的な形態ではあるが、それでもより複雑で洗練された人間の道徳システムの先駆と見なせる。しかしもっと重要な指摘をすると、動物の寛容、公正、信用、協力についてもっと学ぼうと努力すれば、おそらく私たち人間も、より思いやりに満ちた協力的な社会を営んでいけるようになるのではないだろうか。

第5章　難問

懐疑家への回答、および科学における不確実性への対処

動物には意思も感情もないと大上段に構えて書かれているのを読むことがある。
そんなとき私は「この人はイヌを飼っているのだろうか」と疑問に思う。
——フランス・ドゥ・ヴァール[*1]

幼い頃から私は「キツネであるとはどういうことか」「キツネだったらどう感じ**る**のか？」と考えていた。ハイスクール、大学、そしてそれ以後も、この関心は消えていない。認知動物行動学という分野を知ったとき、それこそまさに自分が研究したいテーマだと思った。両親は、私がいつも「動物を気づかっていた（minded animals）」と口にしていたものだが、私はこれを二通りに解釈している。動物には心（mind）が存在すると考えていたという意味と、動物を気づかい（minded）、ケアし、尊重し、愛していたという意味だ。この心構えが、子どものとき以来、私の核心部分を形作ってきた。それは生得的なもので、進化的に「古い脳」が、私を動物や自然に引き戻したのだ。今でも私は「イヌ（あるいはオオカミ、コヨーテ）であるとはどのようなことか？」と自問している。子どもの頃との違いは何かと言えば、実際にそれを確かめるために必要な訓練と経験を今日まで積んできたという点だ。そして、この問いの解明に向けて、大きく前進することができたと感じられるのはとても嬉しい。もちろん動物の行動と認知動物行動学の研究を始めてから四〇年が経過しても、学ぶべきことは依然として残っているし、私の好奇心もまったく衰えてはいない。

幼少期を過ごした暖かく思いやりにあふれた家庭で、私は動物についてたくさんのことを学んだ。私はいつも、動物たちの喜びや悲しみ、あるいは苦痛を自分でも感じていた。動物への共感は、私にとってごく自然なものだった。若かりし頃、生物医学の研究で動物を傷つけたことは今でも後悔している。完全にとは言わないが、できる限り動物に与える苦痛を減らすよう、また、さまざまな実験で動物が受けているストレスを未然に防ぐよう今ではつねに心掛けている。科学の名のもとに意図的に動物に危害を加えることは金輪際やめようと決心したとき、私の人生は劇的によい方向へと変わった。自分の信念をはっきりと主張することはとても重要だ。そう思った私は、オグロプレーリードッグやカナダオオヤマネコなどの野生動物から、実験室や畜産場で飼われている動物に至るまで、思いやりをもって扱うよう求める平和的な抗議活動に参加するようになった。また一度ならず、学会で自らの見解を声高に主張して、何人かの専門家をいら立たせた。要するに、私の意見は、学会ではつねに受け入れられているわけではないということだ。つけ加えておくと、科学者は、研究で得られた成果を一般の人々と共有すべきだと考えている。科学者は、象牙の塔にこもって自分の研究に夢中になってばかりいないで、外の世界ともっと交流を図る必要があると思う。

なぜわざわざこのようなことを指摘するかというと、科学は決して価値中立的ではないことを指摘したいからだ。科学者各人は、自分の研究に独自の価値観を持ち込まざるを得ないのであり、研究方法、あるいはデータの解釈や説明の仕方は、その影響をどうしても受ける。科学の目的は、世界の成り立ちに関して、個人の偏見を脱して「客観的な」結論を導き出すことであるのは確かだとしても、科学者一人一人は何も感じない自動人形などではなく、独自の視点を持った生身の人間なのである。科学は、いつのときにもこの矛盾を解決しようと努めてきた。では、いったいどの時点で、主観的な知識が客観的な「真理」に変わるのか？　何かを実証するには、どんな調査研究をどの程度行なえばよいのか？　どの程度科学者は、気づかぬうちに自らの偏見に影響されて、「客観的」たるべきデータを主観的に解釈してしまうのだろうか？　科学者自身の直観や感情は、科学とはまったく無縁のものなのか？

本章はこれらの問題を検討する。それらは、どんな科学者であっても、自分自身のあり方や自らの研究に即して考えてみるべき問題ではあるが、結論を導くためには逸話（Anecdote）、アナロジー（Analogy）、擬人化（Anthropomorphism）という三つのAに依存しなければならない認知動物行動学の研究者には、特に重要なものである。これら三つのAは、科学では「汚染された用語」と見なされてきた。というのも、それらの語には主観的で個人的な響きが含まれているからだ。科学者が動物行動学やその成果を批判するときには、これらの用語のいずれか、もしくはすべてが持ち出される。だが、これら三つのAを非難する人々は、自分では個人的、あるいは職業的な偏見を免れているというのだろうか？　「客観的な真理」を損なわない主観性が存在する余地が、科学にはまったくないのか？　そしてとりわけ、動物の情動を認めることに対する一部の科学者の不快感は、証拠の客観性の問題より、「非科学的」と見られることへの本人の恐怖感に由来しているのではないだろうか？　だが、自分が安楽に感じていられる場所から一歩足を踏み出すことは、進取の気質を育むうえでことに重要な要件になるのではないか？

私は科学者になってよかったと思っているし、科学的な探究が好きだが、その範疇《はんちゅう》を超えた知の探究方法にも、そしてとりわけ革新的な考え方にはオープンな心を保っていたいと考えている。科学か主観性かではなく、科学と主観性なのだと言いたい。きちんと説明され承認が得られるのなら、私的な真実は客観性を損なうわけではない。しかも以下に見るように、情動はまったく私的な現象なのではなく、社会的な適応として、すなわち他者が何を感じているのかを把握するツールとして進化した可能性が十分に考えられる。いずれにせよ、私たちは不確実性とうまく折り合って生きていかねばならない。科学者の多くは、社会が彼らに与えてくれる自律性と権威を好み、私的に見えたり不確実に思われたりすることで、自らの地位を危うくすることを嫌う。しかし何でもかんでもコントロールできるという考えは捨てなければならない。科学とそれを営む科学者は、開いた流動的な心を維持し、思いやりを持たなければならないのだ。

科学論文の大部分は、一人称ではなく三人称で書かれている。「実験者はこうした」「実験者は被験者を観察した」などといった三人称の使用によって、科学者は、研究対象の動物から、あるいは研究の実践プロセスそのものからさえ距離を置いた視点を気軽にとれる。さらに言えば、三人称的な視点は、自分たちの価値観や視点が実験の結果にまったく影響を与えないかの印象を研究者に与え、科学はまったく価値中立的であるとする誤った考え方を強化する。そしてもっとも重要な点は、それによって科学者の主観性ばかりでなく、研究対象たる動物の主観的な生活すらも否定されることだ。動物は主観的な存在であるにもかかわらず、科学者はしばしば、動物を物体のように扱おうとする。そうするよう訓練されてきたからだ。このような態度は、動物、科学者自身、そして知識を損なうこと以外の何ものでもない。動物の研究を行なうのなら、あるいは彼らの代弁者になりたいのであれば、心を開き、明晰《めいせき》な視点を持ちながらでなければならない。研究は入念であると同時に思いやりのあるものでなければならず、動物の行動や情動、あるいは人間と動物の相互作用の本質を研究するにあたって、より誠実でオープンな一人称的アプローチをとることで、必ずや大きな恩恵が得られるはずである。

ビルとレノ
——家では一人称、仕事では三人称

動物の感覚能力や情動という点に関連して言えば、科学者のなかには、家に帰ってからペットと

過ごすときと、仕事で考えていること、していることのあいだにうまく調和をとれない者がいる。そのような科学者は、ペットには、愛情と思いやりをもって家族同様に接し、それが報いられると大きな満足を感じ、さらにはペットの持つ遊びや認知の能力に驚嘆の念を抱いているのに、仕事になると、動物が感情や認知能力を持っているのかどうかが、突如としてわからなくなってしまうのだ。

私の友人（ここではビルと呼ぶことにする）のケースを紹介しよう。アメリカのある有名な大学で講演をする直前、ビルが近づいてきて私にあいさつをした。そのとき私は、彼の愛犬レノの調子について尋ねた。するとビルは、レノがいかに遊び好きか、自分のいないときにはどんなに不安そうに帰りを待ちわびているか、数日前に自分が娘と話をしていたとき、どれほど嫉妬していたかなど、愛犬の様子について五分以上滔々《とうとう》と語ってくれた。どうやらレノは、とても賢く、情動的なイヌのようだと私はそのとき思った。レノは幸福や悲しみを感じ、家族に愛情をもって接している。そのことは、ビルに明確に伝わっていた。

ビルは日頃、動物の情動能力に疑いを抱いていたので、レノの話を聞いたときにはとても感激した。どんなに譲歩しても、彼は「動物は、あたかも一連の情動を経験しているかのように振る舞っているのだ。だが、動物が何を感じているかについて、あるいはそもそも、何かを感じているのかどうかについて大言壮語するにはまだ早すぎる」と言うのが関の山だったのだ。

だが、私の感激は長くは続かなかった。質疑応答のときに、彼は、冗談めかした言い方ではあったが、あまりにも擬人化が多すぎ、自信過剰だとして私を非難したのだ。一瞬あっけにとられたが、私は反論する代わりに、講演の前に彼が語ったレノの情動的な生活の話を聴衆にも聞かせるよう頼んだ。ビルは、顔を少し赤らめながら、「あのとき私が言ったことの意味は、あなたもよく知っているはずではないか。ちょっと破目をはずして、レノのストーリーを語ったにすぎない。レノは遊びが好きだとか、私がいないと意気消沈するとか、そんなことは私の知ったことではない。娘に嫉妬などしていなかったことは、確信をもって言える。そう見えるように振る舞っていただけだ」と言い放った。

率直に言って、彼がそのとき何を言いたかったのか、私には見当がつかない。ある状況下ではレノの感情について忌憚《きたん》なく話してくれた彼が、別の状況になるとまったく違う態度を示したのだ。家に帰ったときにはファンタジーの世界で暮らし（そこでは動物があたかも情動を持っている<u>かのように</u>振る舞うのを好み）、仕事では「現実」に戻るのだとでも言いたかったのだろうか？　それとも、仕事では個人の私的な経験に合致するようには振る舞いたくない、あるいはそのような信念を支持したくはないと言いたかったのか？　理由は何であれ、ビルは私生活での自己と、科学者としての自己の折り合いがつけられず、のみならず一時間前に私に語ってくれたことと、私の講演を聞いて思ったことのあいだの不一致（心理学者なら認知的不協和と言うだろう）に気づいてさえいないようだった。

科学者同士の類似の会話は、カクテルパーティーの席などで、緊張がほぐれたときに、つまり「私の言いたいことはわかるよね？」などといった予防線を張って、動物の情動にまつわる話を健全に見せかける必要性を感じずに済むときに、よく聞くことがある。そのような雰囲気のもとでは、科学者は、自分が飼っているペットの知性や感情について臆することなく語る。ところが月曜日の朝になって白衣を着ると、どういうわけかすべてを忘れてしまうのだ。この隔離のメカニズムは、彼らの仕事の遂行に欠かせないものに見える。だが、それですぐれた科学の営みが可能なのだろうか？　健全な科学者になれるのか？　異なる状況下では愛玩している動物、たとえばイヌを実験で傷つけている科学者は、彼がしているあらゆることを実験動物が悟ったり感じたりしているとは、簡単には認めないのではないだろうか？　だとすると、動物の情動に向けられた「疑い」は、単に科学者の気休めにすぎないのではないか？　それとも、私情を仕事に持ち込む罪を犯したくなることを恥じ、同僚からネガティブな批判を浴びないよう、自分が恥部と感じているものを隠すために用いているイチジクの葉なのか？　実験室の動物に対して行なっていることをレノにもするかどうかをわざわざ尋ねたりはしなかったが、ビルはまちがいなく、そんなことをしたりはしないだろう。ビルのケースからもわかるとおり、動物の情動に対する「疑い」は、科学に奉仕するためではなく、科学者自身の情動的な必要性を満たすためのものではないかと、私は思っている。

仕事中に眠ったりはしない
――動物は情動を経験していないとどうしてわかるのか？

ビルは、たとえ見解の不一致があっても冷静に対応してくれるが、なかにはひどく動揺する人もいる。彼らの懐疑はかくも深いのだ。ドイツのボーフムで動物の情動について講演したとき、聴衆のなかにいた一人の女性が立ち上がって、あきあきしたといった表情をしながら、「フィールドワーカーはいつでも〈睡眠が足りていない〉から、心や感情を動物にまで投影しようとするのだ」という主旨のことを言って、私を非難した。冗談を言っているのだろうと思った（また、そのとき時差ボケでほんとうに睡眠不足だった）私は、彼女の憤慨をなだめようとしたが、彼女はますます敵対的になってしまった。本気だったのだ。何を言ってよいやらよくわからなかったが、私も本気で次のように返答した。「認知動物行動学者は科学者であり、また真剣な研究者であって、仕事中に眠ったりはしません。たとえ骨の折れる野外調査で疲れていたとしても、それが原因で動物の情動について論文に書いているわけではありません。私たちがそれについて書く理由は、野外でまさにその存在を確認できたからであり、また私たちは、それが重要な適応として進化してきたということをこれまで学んできたからなのです。確かに野外調査には欠点もありますが、そこから得られる利益もあります」。実験室に閉じこもった（研究対象の動物を番号で呼ぶ）研究者は、フィールドワーカーを、やり方がぞんざいで、観察対象の動物をコントロールできていないとしてよく非難する。それに対して私は次のように言いたい。動物が送っている豊かで複雑な生活は、自然環境のなかで観察してこそ、もっともよく理解できるのだと。いずれにしても、疲労やコントロールの欠如が、手品のように動物の情動を生み出すのでないことは言うまでもない。

また、スミソニアン学術協会によって二〇〇〇年に催されたシンポジウムでのできごとを思い出す。その席上で、シンシア・モスが、ケニアの野生のゾウの社会的行動に関する長年の研究について講演し、この知性的で情動的な動物のすばらしいビデオを見せてくれた。質疑応答になると、アメリカ国立科学財団の元プログラムリーダーが、「どうしてこれらの動物が、あなたが言うように情動を経験しているとわかるのですか？」と質問した。すると彼女は適切にも、「どうして経験していないとわかるのですか？」と返答した。もちろん、どちらの質問にも、絶対的な確実性をもって答えることはできない。科学研究は圧倒的にシンシアの見解を支持するが、最善の努力をもってしても疑問は残らざるを得ないだろう。

他生物の（人間も含むが、とりわけ他の生物種の）内的な世界という点になると、そこを超えては観察、測定、認識がまったく及ばない限界がつねに存在する。とはいえ、疑念があるからといって、認知動物行動学全体が疑わしいわけでもなければ、認知動物行動学の能天気な研究者が希望的観測のみに頼って調査したり、寝不足からファンタジーをつむぎ出したりしているわけでもない。認知動物行動学者は誠実な科学者であり、困難な研究領域に厳密さを持ち込み、発見した証拠に理にかなった説明を与えようと努力しているのだ。どんな分野にも当てはまることだが、二〇年後には、私たちの説明と理解はより豊かで正確になっていることだろう。あるいは、現在のそれらとは異なったものになっているかもしれない。動物の情動に関して言えば、ようやく科学は、人々が毎日経験し理解している知見に追いつこうとしているところなのだ。

ダライ・ラマは歓迎されない

どんな人間の営みにも言えることだが、科学にも職業的な偏見が存在し、それによって開放性と革新性が損なわれることがある。概して、物理学や生物学などの「ハードサイエンス」は、認知や情動を研究する「ソフトサイエンス」より尊重される。遺伝子研究や化学の実験には、客観的な確実性の見かけを提供する具体性があるが、認知動物行動学のような、直観や情動に依存する部分がある分野は、その点において見劣りがする。その結果、「ソフトサイエンス」の研究者はときに必要以上に印象を気にするようになり、自分の研究をできる限り「シリアスに」見せたいと思うようになる。実際、彼らの方法は、より厳密に点検され、よりひんぱんに批判されるのが普通だ。

そのことを示す典型的なできごとが、二〇〇五年一〇月に起きている。このとき、ダライ・ラマは、神経科学学会の年次総会で神経神学（neurotheology）の論文を発表する予定だった。[*2] 発表の日が近づくにつれ、法王の発表は除外されるべきだと言い出す科学者が何人か現れた。神経神学とは、瞑想《めいそう》やスピリチュアルな体験の神経科学的な基盤を研究する学問分野で、ダライ・ラマはそれに多大な関心を抱いており、自分自身を被験者にして研究を行なっている。また、科学的な探究の熱心な支持者でもある。データは少ないものの、瞑想に関係する独自の神経学的状態（脳の左前側頭部における神経活動の活発化）が存在すると考えられている。もっとデータが必要なのは確かだ。だが、そうではない分野があるのだろうか？

いずれにしても、神経科学者のグループは、ダライ・ラマの発表を中止させたかった。というのも、彼らの主張によれば、瞑想の神経生物学的な主張のいくつかは実証されておらず、科学的な厳密さを欠いているからだ。また、「スピリチュアルな領域に無謀にも手を出すと、神経科学の学問的信用が失われる」と言う者もいた。神経科学者ナンシー・ヘイズは、「もしそう〔ダライ・ラマの発表を中止〕しなかったら、われわれは地球平面協会〔地球が球体ではなく、平面体であるという信仰を支持するキリスト教非主流派の一派〕と何ら変わりない」とすら言い出す始末だった。

科学と宗教の分裂は誇張されている側面もあるが、特定の分野では現実に存在する。このケースでは、自分たちの評判や見かけを気にする何人かの科学者が、公開討論の機会をつぶそうとしていたのだ。いったいいつから、ダライ・ラマの発表を聞くことが、「無謀な」行為になったのだろうか？　神経科学の基盤は、瞑想の研究を支持できないほど不安定なのか？　とはいえ、もちろん多くの科学者はダライ・ラマの訪問を支持した。世界的に著名な研究者ロバート・ワイマンは、科学の方法の基盤を次のように要約し、注意を喚起した。「人は何かに興味を持つと、いろいろなことをしてみたくなる。科学においても、とっかかりはそれと同じである。そう、いろいろなことに手を突っ込むのだ」。かくしてダライ・ラマは招待された。

徐々に改善されつつあるが、認知動物行動学も同様の問題を抱えている。実証データがあまりにも少ないことを心配する者もいれば、観察や定量化が困難な現象の研究に手を出すことは自分の信用を傷つけると考えている者もいる。ダライ・ラマや認知動物行動学の批判者は、彼らの研究成果を恐れているのだろうか？　試験管やスライドを必要としない知の探究方法が実際にあったら、批判者はそれに脅威を感じるのだろうか？　動物の心の研究を批判する者は、物理学、化学、生体医学の研究などの、論争の余地があまりない「ハードサイエンス」に対してよりも、動物の意識や情動などをテーマとする研究に対して、より堅固なデータを求めるという、二重基準《ダブルスタンダード》を適用している。

事実、動物の情動の研究は証拠に強く依存する分野であり、面白いことに、証拠となるデータは、ますますハードサイエンスの研究者の手によってもたらされるようになりつつある。この研究がかくも刺激的な理由の一つは、動物の行動の素朴な観察が、情動の神経学的な基礎を実験室で研究する科学者によって支持されるようになってきたことだ。

科学者のカミングアウト
——動物の感情に対する情熱

これまでほとんどの科学者は、動物の情動にあえて言及することを避けてきた。しかしその状況は急速に変わりつつある。二〇〇〇年に私の編著書『イルカのほほえみ——動物の情動に関する注目すべき報告（*The Smile of a Dolphin: Remarkable Accounts of Animal Emotions*）』が刊行されることになったとき、五〇人以上もの著名な科学者が、自分のよく知る動物の情動的な生活や、長年研究しているうちに仲良くなった動物のストーリーを披露し、カミングアウトするという状況になった。彼らは、イルカ、魚類、コビトマングースの愛情、タコ、ワタリガラス、ネコの怒りや攻撃性、ブチハイエナ、ゾウ、ラットの悲しみ、霊長類におけるきまりの悪さ、憤り、嫉妬などのストーリーを語り始めたのだ。これらのストーリーは、さまざまな動物が豊かな情動を備え、また、科学者自身も、研究対象の動物に何らかの感情を抱いているという事実をはっきりと示している。

普段動物を世話している一般の人々は、科学者が自分の感情を表現し、動物の情動について気兼ねなく書き、番号ではなく名前で動物の各個体を呼ぶことが革新的だとは思わないであろうが、実のところ、これは大きな進歩なのである。これらの変化は、動物の情動の研究、ひいては動物行動学者の情熱を正当化する。天文学者は、星への情熱を共有し、詩的なイマジネーションを駆使して夜空を賛美しても、自らの提示するデータの信頼性が疑われる結果になることを恐れる必要はない。人々は、情熱を重要なものと見なしている。それは、研究で生じた難題を辛抱強く解決できるよう人々を導いてくれるものなのだ。また情熱は、科学の探究には不可欠な好奇心をかき立てる。天文学者は情熱を持ちつつも、きわめて正確な観測を行なえるということを、人々はよく理解している。ところが今日に至るまで、動物行動学者はそれと同じ扱いを受けてこなかった。だが、その状況は変わりつつある。

動物の情動に関する自分のストーリーを『イルカのほほえみ』に取り上げてほしいという何人か

の著名な科学者の懇請を、紙数の都合で断わらざるを得なかった。現在では、出版物やその他のメディアを通して科学者自身が率先して動物の情動について語ることで、閉じこもっていた殻を破ろうとしている。もはや科学者は、幸福、悲しみ、嫉妬などの語の両端を括弧でくくることで文章を健全に見せかける必要性を感じていない。まわりくどい表現を使ったりもしない。動物は、あたかも感情を「持っているかのように」振る舞うのではない。実際に持っているのだ。科学者は自分のストーリーを自由に語ることができる。彼らの綿密な観察は、動物を扱うにあたってどんなことに配慮しなければならないかを教えてくれ、私たちすべてに益するものなのだ。

逸話
――ストーリーの重要性

他人の研究を評価するとき、科学者はつねに、「データはどのように集められたのか」「データは信頼できるのか」「データは最終的に、いかに説明、解釈、普及できるのか」を考慮する。逸話(anecdote)、すなわちストーリーは、一種のデータであり、人々が動物を語る際には必ずや用いられる。ところが、科学者のなかには、逸話を「単なるお話し」として毛嫌いし無視する者もいる。彼らにとって、再現不能なものは「ハードデータ」ではなく、逸話は個人的な感情や偏見で汚染されているのだ。

ところが、行動の進化を説明する理論の多くは、多かれ少なかれストーリーに依存しているにもかかわらず、それを問題にする科学者はほとんどいない。というのもおそらく、それらは自然選択という、広く受け入れられている統合理論を軸として展開されているからだと考えられる。実を言えば、逸話の系統的な分析は、逸話が示す状況をシミュレートする組織的な実験によって再現が可能なデータをもたらしてくれるのである。

逸話の複数形がデータだと私は言いたい。他の多くの科学の分野にとってと同様、動物の行動や情動の研究には、逸話は欠かせないものだが、それには正当な理由がある。情動は何もないところから突然に発生するのではなく、ある一定の文脈のもとで生じ、原因や結果を伴う。ストーリーを語るとは、まさにそれらを正しく記述することだ。ヒヒが怒っているとどうしてわかるのだろう？　そう、食べていたエサを横取りされたヒヒが、かん高い声をあげ、相手を追い掛け回し、取り戻すところを目撃したからだ。幼いアカギツネが母親の帰りを待ちわびていたとなぜ言えるのか？　そう、大きな声を出し、何かを探していたのに、彼女が戻ってくると、幼いキツネは彼女に寄り添い、目を閉じ、静かに眠りについたのだから。ヒヒやキツネの最初の行動や態度のみに記述を限定することは可能だが、かん高い声をあげ、別の個体を追いかけるヒヒが、交尾をしようとしているのではないことを、あるいは戻ってきた母ギツネに寄り添う子ギツネが、彼女と遊ぼうとしているのではないことを明確にしてくれるのは、盗みや、母親の不在という、文脈の特定なのだ。

ストーリーを蓄積するにしたがって、動物の行動に関する信頼できるデータベースが構築されていく。それはまた、さらなる調査のために利用できる。そうすればストーリーも次々に増えていく。さまざまな動物のあいだに、同種のストーリーが繰り返し見出される、その頻度に注目することは重要であり、それによって個々の情動の特定がしやすくなる。異なる動物が同じ情動を違った行動で表現するケースは当然考えられるが、ストーリーによって明確にされる文脈を通して、それらが類似のものだということを判別できるはずだ。さらに言えば、同じ現象を指し示すストーリーを集めれば集めるほど、個人の偏見がデータや結論に紛れ込む可能性は少なくなる。最後にもう一つ指摘しておくと、データとして逸話を集めるのには多大な時間を要するかもしれないが、それによって有用性や信頼性が損なわれるわけではない。

必然的な「罪」
——擬人化

それゆえ、自然のもとで暮らし、生活に密着した恒久的な言葉を話す素朴な人間が、図書館で生活し、明日には忘れ去られる言葉を今日用いる心理学者より、動物の生活の真実をよく知っているであろうことは当然考えられる。

——ウィリアム・J・ロング『「ピーターラビット」の語るイバラの哲学（*Brier-patch Philosophy by "Peter Rabbit"*）』*3

一九九〇年代後半に注目すべき小説が刊行された。『波のように白く（*White as the Waves*）』は、鯨の視点から語る『白鯨』の再話であり、（……）『白い骨（*The White Bone*）』は、ゾウの視点から見たゾウ社会の崩壊を物語る。（……）どちらの小説も、動物の生態と社会生活に関して知られている知見を駆使して、複雑な社会、文化、認知能力の様態を描く。メスは、子どもの生存はもちろん、宗教や環境にも関心を持ち、オスは、子孫を残すことがその役割の一つでしかない、豊かな社会や生態環境のなかで生活している。還元論者は、これらの物語を『クマのプーさん』とともに、動物の生活を扱ったファンタジーにすぎないと見なすことだろう。だが私にとっては、これらの小説は真実の物語であり、私が行なっている科学的な観察から得られた数値データによる大ざっぱな抽象より、これらの動物の本性を正しくとらえているのかもしれない。

——ハル・ホワイトヘッド『マッコウクジラ（*Sperm Whales*）』[*4]

逸話とともに、擬人化（Anthropomorphism）も、認知動物行動学を批判する際によく言及される理由だ。動物の行動を記述する方法はたくさんある。動物がいかに見たり、聞いたり、かいだりしているかを要約するために用いる方法は、その人の関心領域によって異なり得る。動物の行動や情動を記述し説明する、たった一つの正しい方法などというものは存在しない。動物行動学では、擬人化は、思考、喜び、悲しみ、きまりの悪さ、嫉妬などといった、人間の特徴を動物に結びつけることをいう。これは私の同僚の多くをいらいらさせている、よくある実践方法なのだが、実は彼らの多くも、自ら実践しているのだ。

この節の冒頭にあげた引用が示すように、擬人的な説明はもしかすると動物の行動を正確に表現しているのではないかという考えは、かなり以前からあった。本節冒頭の文章を一世紀以上前に書いたウィリアム・ロングは、私たちの知る最新の研究とは「無縁」であったとして切り捨てることができたとしても、クジラの研究の世界的な権威の一人ハル・ホワイトヘッドは現役の研究者であり、その彼が逸話や擬人化された説明の価値を認めていることは、引用からも明らかである。

人間である私たちは、動物の行動を記述し説明するにあたって、人間中心的な視点に基づく用語を導入せざるを得ない。そのため私は、たとえばイヌの頭のなかを把握したいときには、たとえ擬人的にならざるを得ないとしても、できる限りイヌの視点からものごとを見るよう努めている。「あのイヌは満足している」「このイヌは嫉妬を感じている」と述べたからといって、それは人間と、あるいはその点では他のイヌと同じようにそうであると言いたいわけではない。擬人化は、動物の思考や感情を人間にも理解できるよう記述するための言語ツールなのである。確かにときにまちがいは生じるが、私たちは、心的領域に関する正確な推論には相当に長けているのだ。

擬人的な用語がまったく使えないのなら、動物行動の研究はあきらめ、荷物をまとめて家に帰らなければならないだろう。他に手段はないのだから。動物がどんな行動をどのような理由でとっているのかを明確にする文脈を抜きにして、ホルモンやニューロンや筋肉の動きについて語っても、意味があるのだろうか？　擬人化は必然的で無意識的な営為だ。心理学者ゴードン・ブルクハルトは、「動物の経験に対する私たちの直観を否定することは鈍感で不毛だ」とコメントしている。[*5] 擬人化しなければ、重要な情報が抜け落ちてしまうのだ。また、大きな影響力を持つ著名な実験心理学者ドナルド・ヘッブは、データを集め統計的な分析を加えることを得意としていたが、擬人化に関して重要な見解を表明している。[*6] 彼にとって、動物園の飼育係の擬人的な説明は、世話をしているチンパンジーと最善の交流を図るための「動物行動への直観的で実践的なガイド」であった。ヘッブはまた、「擬人化の基盤を客観的に分析することで、それを科学的な比較心理学の目的にうまく合わせられるだろう」と示唆している。

コンラート・ローレンツは、人間の大人に子どもの養育をさせるように仕向けるメカニズムの研究によって、私たちが擬人化に導かれる理由の一端を発見した。ローレンツによれば、人間は「比較的大きな頭」「大きな目」「でっぱったほお」「短くて太い手足」「ばねのような弾力性」「ぎごちない動き」など、幼い動物の持ついくつかの特徴に惹《ひ》かれる。[*7] つまり、これらの特徴を持つ動物は、人間の赤ん坊のように見えるのだ。また、幼い動物に「愛らしさ」を感じる人間の反応は、ふわふわした毛や皮膚の柔らかさなど、動物の見た目の「かわいらしさ」を際立たせる特徴によってさらに強化される。このように、私たちが幼い動物に惹きつけられるとき、そこにはまちがいなく擬人化が作用している。子イヌを「かわいい」と言わない人を私はまったく知らない。

しかし科学の世界では、擬人化はまったく否定される。ユーモアの感覚を持ち込むのはご法度である。それに関しては、第3章で紹介したヒヒのいばり屋ニックのストーリーを語るサポルスキー教授に尋ねてみればよい。すると彼は、「ヒヒの研究を報告するにあたって、私は擬人化のしすぎでとやかく言われているのだろうか？」と聞き返す。[*8]「明らかに滑稽なシーンはすぐにそれとわかるのが普通だ〔このインタビューでは、質問者はサポルスキーに「科学者はコメディアンであるべきではないと考えている同僚から激しく非難されているのか」どうかを質問している〕。だが、ユーモアの感覚に欠け、何が滑稽なのかもわからない同僚には驚きを禁じ得ない。それはそうと、もっとはっきり答えよう。私は擬人化をしているのではない。動物の行動の理解に必要なことの一つは、彼らが私たちに似ているのには理由があるという認識だ。その目的は、人間の価値観を動物に投影することではない。そうではなく、ヒトと動物が共有している普遍性を人間の言葉で語ることなのだ」。言い換えると、動物と人間は、情動を含め多くの特徴を共有しているということを、私たちは皆、認識し受け入れているのだ。かくして私たち動物行動学者は、人間の特徴を動物に無理やり当てはめようとしているのではなく、両者の共通の特徴を特定し、その結果を表現するために人間の言葉を用いているのである。

私たちが擬人化をするとき、それは自然にそうしているのであり、そのために罰せられるべきではない。つまり、それは私たちの本性の一部なのだ。ジェーン・グドールは、若い頃、科学的な方法を用いていないとして批判された。チンパンジーを対象にして、番号ではなく名前で呼び、「人格《パーソナリティー》」を付与し、心や情動を備えていると主張したからだ。一九六〇年代以後、多くの面で改善が見られてはいるが、擬人的な説明に対する根拠のない恐れは依然として残っている。動物と科学のために、今こそこの状況に終止符を打つべきであろう。

人類が誕生した太古の時代には、擬人化はハンターが獲物の行動を予測するのに役立ったはずであり、また今日でも、動物の感情のよりよい理解にはとても有益だ。スティーブン・ジェイ・グールドは、「そう。私たちは人間だ。だから、他の動物に観察される、人間に驚くほどよく似た行動を記述する際に、自分たち自身の情動的な経験を表現するための言葉や知識を無視することはできないのだ」と述べている。[*9] 擬人化は必要な手段だからこそ、現在でも存続しているのだ。だが、十分な注意を払い、共感を働かせ、動物の視点に基づいて観察するあらゆる努力を払いながら適用されねばならない。私たちは、「あの動物はいったい何を体験しているのだろうか？」と、つねに問うべきである。「科学においては擬人化の占める場所はない」「擬人的な予測や説明は、より機械論的、還元論的な説明に比べて不正確だ」などという主張は、いかなるデータによっても支持されない。注意深い擬人化は、当然ながら現在でも有効なのだ。

擬人化における二枚舌

――動物は幸福たり得るが、悲しみは感じない

擬人的な表現に関して、私は興味深い現象に長らく気づいていた。科学者が動物の幸福に言及し

ても疑問を呈されることはないのに、動物の不幸について口にした途端、擬人化のそしりを受けるという現象に。私の友人ビルの矛盾した二つの信念と同様、この「擬人化における二枚舌」は、自分が後ろめたく感じないで済ませられるようにするためのトリックに思える。

一例として、ロサンゼルス動物園で飼われていた四三歳のアフリカゾウ、ルビーのストーリーを紹介しよう。[*10] 二〇〇四年の秋、ルビーはテネシー州のノックスビル動物園からロサンゼルス動物園に送り返された。というのも、ノックスビル動物園の来園者は、孤独でみじめな様子をしている彼女の姿に気づいたからだ。アメリカ人道協会のグレチェン・ワイラーが撮影したビデオには、一頭で立ち尽くして、体を揺り動かしているルビーの姿が映っている。ルビーは「自暴自棄に陥ったゾウ」のように振る舞っているとワイラーは言う。みじめで孤独な動物は、しばしば繰り返し体を前後に揺り動かす。この型にはまった動作は正常ではなく、退屈し意気消沈している動物がするものだ。

ルビーは不幸だと主張したワイラーたちは、ノックスビルでもロサンゼルスでも、ルビーには何の問題もないと考える人々によって、擬人的だとして批判された。動物園水族館協会(AZA)の保護および科学部門の元責任者マイケル・ハッチンスは、「動物は私たちに話しかけることができない。だから何を感じているかも伝えられない」と主張し、人間の感情を動物に結びつけることをえせ科学として非難した。そして、別の動物園に移され、仲間から引き離されて過去数年間一頭で暮らしていたという理由で、ルビーはみじめで不幸だと主張する人々を批判した。

さらにロサンゼルス市長もそれに加勢し、「彼女は元気にしている。彼女が戻ってきて、私たちはとても嬉しい」と述べている。また、カリフォルニア大学デービス校カリフォルニア霊長類研究センターの副所長ジョン・カピタニオは次のように主張する。「動物は情動を持っているのだろうか？　多くの人々は、嬉々として持っていると答えるだろう。では、私たちはそれ以上のことを何か言えるのか？　いや何も言えはしない」。ハッチンスは、次のように続け、ルビーが不幸であるとする見方を無視する。「動物は動揺しているように見えるかもしれない。だが、実際にはそうでない可能性もある。遊んでいるのかもしれない。あるいは遊んでいるように見えて、実は攻撃的になっていることも考えられる」。

動物の行動を見まちがえる可能性は存在すると指摘している点では、ハッチンスは正しい。だが、正しく把握することなど決してできないと想定するのはまちがいである。というのも、動物の行動を識別し、種々の社会的な文脈のなかでそれがどう異なり得るかを理解することが私たちには実際に可能であるという事実が、慎重かつ綿密な研究によって繰り返し示されているからだ。

ルビーが幸福か不幸かは重要なことなのか？　もちろん重要だ。不幸であることが明確になれば、動物園には彼女に対する福祉の改善が求められるだろう。動物園の管理者とロサンゼルス市長は、「彼女はうまくやっている」と発言して満足していた。ハッチンスとカピタニオは、それに反対する主張を否定することが「よき科学」だと感じていた。だが、ルビーの行動にポジティブな情動を見出すことは、ネガティブな情動を見出すことと同様に擬人的だ。実際、ここでは擬人化が問題なのではなく、彼らの批判は、相手の信用を落とす意図を糊塗するための煙幕にすぎない。問題にすべきは、動物の福祉なのであり、ルビーが何を考えているかを確実に知ることが不可能である以上、それに関する決定は、ルビーの履歴、ゾウの行動についての知識の多寡を考慮したうえで、誰の解釈が、もっとも確からしいかを判断することでなされるべきだ。

ハッチンスとカピタニオは、特に動物の行動について議論したいわけではなく、思想的な「敵」を批判したいのだろう。だが、ゾウを知る者は、ゾウの「気分」を無視すると、自分にも危険が及ぶということをよく心得ている。イギリスの哲学者メアリー・ミッジリーは、その事情を次のようにうまく要約している。

> インドのゾウ使いは、ゾウの行動に関して「擬人的」であるがゆえに誤りと見なせる数多くの信念を抱いているように思われる。つまり、本来当てはまるはずのない、人間の行動パターンに基づいて、一部の外見だけでゾウの行動を判断しているかに見えるのだ。しかし、ゾウの日常的な感情に関して、たとえば満足しているのか、いらいらしているのか、興奮しているのか、疲れているのか、痛みを感じているのか、疑っているのか、怒っているのかに関して、それらの信念を適用しなかったなら、そのゾウ使いは、仕事ばかりでなく、ときに自分の命すら失いかねない。*11

不適切な擬人化が危険であることにまちがいはない。というのは、人は容易に思考をストップさせて、自分の視点や経験のあり方が、世界を見る唯一の方法だと考えがちになるからだ。また、動物の行動を都合よく解釈して、自分が動物の幸福を願っているから、あるいは動物は無感覚だと想定する必要があるから、実際にそうだと主張するケースもある。擬人化の不適切な適用に対する予防策は、知識の獲得、すなわち動物の心や情動の綿密な研究をおいて他にはない。

ミラーニューロン
——共感を得るための神経生物学的な仕組み

ここまでは擬人化を言葉の問題としてとらえてきた。そもそも観察したことを記述するには、言語を用いるしかない。しかし言葉では表現できないものもある。私は、自分（および他の多くの人々）が動物の感情を感じとっていることを知っている。私たちは、動物の、あふれる喜びや重苦しい悲しみ、あるいはきまりの悪さや、ささいな嫉妬を感じることができる。動物を観察する際、私はその行動を記述するために最適な言葉を探したりはしない。言葉の媒介なしに、あるいは動物の行動に関する十分な意識的理解すら経ずに、直接的に動物の情動を感得しようとする。

私が住む、標高およそ二〇〇〇メートルに位置するコロラド州ボルダーに何か特殊な効果でもあるのだろうか？　まさかそれはないだろう。しかし、動物の感情を感じることができるという、また、それは自分の無関係な情動の投影などではないという私の印象の正しさは、最近のいくつかの研究によって裏づけられている。それによれば、生得的な共感能力によって、動物の心の内部で何が起こっているかを実際に知ることができるのだ。

感情の共有に関連するもっとも興味深い研究は、「ミラーニューロン」に関するものだ。このニューロンは、大ざっぱに言えば、心のなかで自分を他者の立場に置き、その人がとっているものと同じ行動を自分が行なっているところを想像することで、他者の行動の理解を可能にする脳の部位を指す。各動物がどの程度この能力を持っているのかは、今後の研究の課題だが、「ミラーニューロン」というものが存在し、それを備えているのは人間だけではないということを示す説得的な証拠がある。

イタリアのパルマ大学に所属する、ヴィットリオ・ガレーゼ、ジャコモ・リゾラッティらによるマカクザルを使った研究によって、意図の共有の神経生物学的な基盤が存在することが明らかにされた。二〇〇六年の『ニューヨーク・タイムズ』紙に、次のようなリゾラッティ博士の言葉が引用されている。「自分たちが観察していることに確信を持てるようになるまでに数年がかかった。サルの脳はミラーニューロンと呼ばれる特殊な細胞を備えており、このニューロンはサルが他の個体の特定の動作を見ているときに、また、自身がそれと同じ動作をしているときに発火する」[*12]。彼はさらに「ミラーニューロンは、推論ではなく直接的な模倣《シミュレーション》を通して他者の心を把握することを可能にする。思考ではなく感情によってだ」と述べている。また、ミラーニューロンは聴覚や嗅覚などの感覚にも関与するのではないかと考えられている。

ミラーニューロンの研究は実に刺激的だ。これらの研究の成果は、どの動物が、他の個体の心や情動に関する「心の理論」や「認知的共感」を持っているかという問いに答える際に、大いに役立つだろう。ガレーゼと哲学者アルヴィン・ゴールドマンは、「ミラーニューロンは、他者の持つ思考を察知する、より一般的な能力の一部またはその先駆的能力として働き、（……）自分の見ている同種の他の個体の心的な状態を察知することを可能にしているのではないか」と示唆している。[*13] ローリー・カーらによる、ヒトの神経画像を用いた研究では、他人の表情を見た場合でも、自分がその表情を模倣したケースでも、被験者に同様な神経活動のパターンが確認されている。[*14] この研究は、共感には神経生物学的な基盤があることを示唆する。また、イギリスの研究者クリス＆ウタ・フリスによるヒトの神経画像を用いた研究は、ある形態の「社会的知能」、すなわちそれによって他者の心の状態を理解する手段の神経学的基盤について報告している。[*15]

ミラーニューロン、もしくはそれに似た機能を有するニューロンを、他の動物も備えているのか否か、また、共感には不可欠と考えられる、個体間での意図や感情の共有にミラーニューロンが実際に関与しているのかどうかを確定するには、さらなるデータが必要である。進化の連続性を考慮すれば、さまざまな動物がミラーニューロンを備えている可能性はきわめて高い。また、視覚以外の感覚に対応するミラーニューロンが存在してもおかしくはない。多くの動物は、視覚的な行動とともに、音やにおいを用いて感情を伝達しあっているのだから。

共感にまつわる第1章のストーリーはどれも、おそらくはミラーニューロンによって駆り立てられている行動の例だと言える。ここでもう一例紹介しよう。ハル・マルコウィッツによる、捕獲されたダイアナモンキーを用いた次のような研究では、このサルが共感能力の存在を強く示唆する行動をとることが示されている。[*16] スロットにトークンを挿入してエサを取り出すよう、群れの各個体を訓練した。しかし群れの最年長のメスは、この方法を習得できなかった。彼女がエサを取り出すのに失敗する様子を見ていた（つがいの相手の）オスは、彼女に近づき、落としたトークンを拾ってスロットに挿入し、取り出したエサを食べさせた。この様子は三回ほど見られた。明らかにこのオスは、状況を正しく評価し、彼女が失敗するところを見てから手助けをした。つまり、彼女はエサを食べたいのに、自分では取り出せないでいることを理解していたのだ。彼は取り出したエサを自分で食べることもできたが、そうはしなかった。この行動によって、つがいの相手が助けられたという以上の利益が生じたと考えるべきいかなる根拠もない。同様に、ドイツのライプチヒにあるマックス・プランク進化人類学研究所の科学者たちは、捕獲されたチンパンジーが仲間のためにエサを調達することを発見している。[*17] 檻《おり》のなかにいる仲間の伸ばした手がエサに届かないのを見て取ったチンパンジーは、仲間がエサを食べられるように、檻を開けたのだ。また、ミラーニューロンの働きは、他の個体が苦痛を受けるのなら、エサを取ろうとしないアカゲザルや、他の個体が苦しんでいるところを見たあとでは、痛みの刺激に対して、より激しく反応する、共感能力を備えたマウスの振る舞いを説明するのに役立つ。

最後にもう一つつけ加えておくと、擬人化は、他の動物のみならず世界一般を概念化するために脳内に固定配線《ハードワイヤード》されているのではないかとする見方がある。アンドリア・ヘバーラインとラルフ・アドルフスによる最近の研究に従えば、たとえば「怒れる嵐」「進軍する波頭」と言うときなど、物体やできごとに情動や意図を付与する際には、脳の扁桃体が活性化される。[*18] 二人は、扁桃体に損傷を受けた患者（SMと呼ばれていた）を被験者として実験を行なった。この患者は、視覚は正常に機能しているにもかかわらず、（正常対照群の被験者には社会的な内容で満たされているように見える）幾何学図形のアニメーションフィルムを見て、社会的な意味をまったく捨象した幾何学の用語だけでその内容を語った。この研究は、「人間の持つ擬人化の能力は、基本的な情動反応が依拠しているものと同じ神経システムに基づいている」ことを示唆する。この研究に関する私の解釈、および私自身の動物との経験に従えば、「私たちは感じるがゆえに擬人化する」と言える。そして私たちは、人間の意図や心の状態を、それらとはまったく関係のないものごとのなかに見出すようプログラムされているのだ。

擬人化は、私たちが考えているより、はるかに複雑な現象である。動物に情動を投影しようとする自然な人間の衝動は、動物の「真の」本性を不明瞭にするどころか、実際には、知を獲得するためのきわめて正確な手段として機能しているのかもしれない。かくして得られた知識は、信頼度の高い科学的な研究による支持が得られれば、動物の福祉に関する倫理的な決定を下す際に、非常に重要な判断材料になるはずだ。

第6章 倫理的な選択

いかに知識を実践に応用すべきか

> 西洋の倫理はこれまでおもに人と人の関係に限定されていた。しかしこれはまさに限定された倫理だ。私たちは、動物も含めた限界のない倫理を必要としている。（……）生命を無思慮に傷つけることが、この倫理にそぐわないという点を認めるのに、人類はかくも長い年月を要したことに驚く日がやってこようとしている。無条件の倫理は、生命を持つあらゆるものに、私たちが負わねばならない責任の対象を拡大する。
>
> ——アルベルト・シュバイツァー『子ども頃と若き日の思い出（*Memoirs of Childhood and Youth*）』[*1]

明らかに、私たちは動物の情動について多くのことを知っている。もちろんこれから学ぶべきことも多いが、既知の知識だけでも、動物の待遇を変えるべきだと十分にわかる。今は知識を行動に変えるべきときなのだ。現状に甘んじてはならない。知識が変わるにつれ、動物との関係も変えていかねばならない。多くの動物は激しい感情や苦痛を経験しているという事実をよく考え、現在の動物の扱い方を徹底的に検討し、正しいこととまちがっていることを明確にしなければならない。何がまちがっているかがわかれば、それを変えていける。

　私たちは動物と一緒に暮らしている。動物は食料にもなる。動物園で飼われ、実験に用いられる。また、人の住む場所の近くで「自由に」暮らしてはいるが、つねに人間の圧力を受けている動物もいる。私たちは、これら（およびそれ以外）の領域に注意を向け、動物が適切に扱われているかどうかを検討する必要がある。実のところ、そうでない場合が多い。動物の扱いに関して、社会全体として反省すべき点は多い。動物とのつきあい方を点検し、もっとバランスを取らねばならない。私たちは、当然のことのように動物の感覚能力を無視したり黙らせたりしているのだから。

　感覚能力は、動物の待遇を改善すべきおもな理由の一つだ。感覚能力に関する問いは重要であると同時に、それに答えるのはきわめてむずかしい。また、感情と知識を区別する必要がある。動物の福祉を考える場合、動物が何を知っているかではなく、何を感じているかに焦点を置かなければならない。痛みや苦しみを感じる能力を持っていることが明らかなのに、動物園のサル、実験室のラット、牧場のウシに、周囲で何が起こっているのか、人間に何をされているのかを知る能力が備わっているかどうかがほんとうに重要な問題なのだろうか？　これらの状況のもとに置かれた動物は、まったく人間に頼らざるを得ない。そして、健康で満足しているのか、あるいは苦痛を感じているのかを、行動を通して私たちに知らせる。動物は自分で救急車を呼ぶことなどできない。人間の慈悲と善意に頼らざるを得ないのだ。動物は、待遇に満足できないときには、はっきりと不満を表現する。彼らの苦痛は誰が見ても明らかなのに、それでも私たちは無視することが多い。

動物をテーマとする講演をすると、人間は確かに動物をケアしていることを示すあらゆる例を持ち出して、私たち人類の行ないを弁護しようとする人たちが現れる。もちろんそれらの例はでたらめではない。動物を育て、ケアし、救助することに多大な努力を払っている人は大勢いるし、それらに関するすばらしいストーリーにもこと欠かない。しかし、社会では「よき福祉」として通用している実践方法が、実際にはとても十分とは言えないものである場合が多いことを強調しておく必要がある。人はよく、「賢い」動物と「愚かな」動物の待遇を変える。とりわけ研究機関では、実益があまり見込めないと、もしくは「科学の進歩」を阻害する要因になり得ると見なされると、動物のケアは軽視される。「それで十分」などとはとても言えないはずだ。私たちは、あらゆる動物に対し、いついかなるときにも最善の福祉を提供し、そもそも人間の利益のために動物を利用しないようにすべきである。

動物と科学に対する考え方は、前世紀中に大きく変化した。動物に「人格《パーソナリティー》」を与える作家や動物研究家が、ジョン・バロウズによって始められテディ・ルーズヴェルトによって支持された運動によって「自然のねつ造者」としてそしられたのは一〇〇年前のことにすぎない。*2 この運動は、アーネスト・トーマス・シートン、ウィリアム・J・ロング、ジャック・ロンドンらの動物研究家を標的にしていた。科学は、客観的、価値中立的であるべきとされ、「事実」と、倫理、価値観、情動の混淆《こんこう》はタブー視されていた。したがってロンドンらの「いんちき動物研究家」は、科学を感傷的なものにしているとして非難され、自然に関する彼らの著書は、あくまでもフィクションとしてとらえられた。

だが、それは昔の話だ。現在では状況は好転している。今や私たちは、「客観的、価値中立的な」科学自体が、ある特定の価値観を体現するものであることを知っている。また、科学研究の成果（あらゆる事実）が、私たちの行動に影響を必ずや与えることを理解している。そうでなければ、科学は無意味な実践になってしまうだろう。さらに、情動能力を持つ動物が、人間の手によって世界中で苦しんでいるということを了解している。いかに動物を扱うべきかを熟慮するにあたって、倫理の適用は不可欠だ。ここでいう倫理とは、ソクラテスが「私たちはいかに生きるべきか」として言い表した倫理を指す。倫理は、自分自身について、自らの振る舞いについて、そして将来のビジョンについて批判的に吟味するよう私たちに要請する。そして、情報があいまいだったり、不完全だったり、あるいは競合したりしていた場合、いくつかの可能な行動のなかからどれを選択すべきかを教えてくれる。理想の完璧な成就は不可能としても、最善の選択を導くためには、一つの理想的なビジョンを構築する必要がある。

動物との関係が私たちにとってどんな意味を持つのかを考えれば、動物の待遇を変える必要があることに気づくはずだ。動物は、人間の都合のために存在している「モノ」などではないことくらい誰にでもわかる。動物は感情と思考を備えた主体的な存在なのであり、敬意と配慮に値する。私たちには、動物を虐げ支配する権利、言い換えると動物の生活を犠牲にしてまで、自分たちの生活を良くする権利はない。さらに言えば、感覚能力と自己意識、そして他者の苦しみを認知する能力を持つ私たちには、できるだけそれを削減するよう努める義務がある。動物を救う決断を下すことで、生態学者ポール・エーリッヒの言う「傷ついた世界」に、残酷さではなく思いやりを加えることができるはずだ。[*3]

できることはたくさんある。そしてその多くは、比較的簡単だ。本章では、実験室、畜産場、動物園で飼われている動物と野生動物の現状について簡単に触れながら、それを改善する方法をいくつか検討する。しかしその前に、一つ指摘しておきたいことがある。

予防原則

科学の本質は、完全であいまいさのない解答を決して（それが言い過ぎならほとんど）もたらさないところにある。しかし、科学者の一致した意見によれば、家畜にしろ、ペットにしろ、実験動物にしろ、人間が自分たちの目的のために利用している動物の、すべてではないとしてもほとんどが、感覚能力を持っている。動物の感覚能力のもっとも単純な定義は、「考慮されてしかるべき感情」というものだ。

——ジョン・ウェブスター『動物の感覚能力と福祉（*Animal Sentience and Animal Welfare*）』[*4]

> 不確実性は決してなくならない。したがって、未来に関する決定は、重要であろうがなかろうが、つねに確実性が欠如した状態でなされねばならない。不確実性が除去されるまで待つことは、現状維持を暗黙のうちに認めることに等しく、しばしばその言い訳になる。（……）不確実性は、進歩に対する障害であるどころか、実際には創造性の重要な構成要素であり、またそれを刺激するものでもある。
>
> ——ヘンリー・ポラック『不確実な科学、不確実な世界（*Uncertain Science… Uncertain World*）』[*5]

ヘンリー・ポラックは気候変動に対する態度について語っているのだが、彼の見解は、動物の情動と感覚能力の研究にも等しく当てはまる。ここで彼が言及しているのは、多くの科学者が予防原則と呼ぶ原理で、世界中の人々が、気づいていようがいまいが日々の活動のなかで実践している。確実性の欠如を、行動を遅延させる言い訳にしてはならないというのが、この原理の基本だ。ときに私たちは、そのときに可能な最善の判断に基づいてとにかく行動しなければならない。なぜなら、事前に「すべての」事実を把握することはまず不可能であり、絶対的な確実性が得られるまで待っていたら、何もしないことになるのがオチだからだ。

私たちは、動物を扱う方法をたった今変えるべき理由を、十分に、そして自分が思っている以上によくわかっている。動物の心のなかで起こっていることのすべてを知るのは不可能だが、そもそもその必要はない。「あらゆる種類の情動を備えた生物として哺乳類、鳥類、魚類、爬虫《はちゅう》類を扱っているうちに、実際には動物はそのいくつかを持っているにすぎないことが判明した場合と、あらゆる動物を虐待し続け、ある日、どんな動物にも人間と同等の豊かな感覚能力と情動が備わっていることが判明した場合とでは、どちらがより大きな傷害を引き起こし、より重大な影響をもたらすだろうか？」と社会全体で問うてみればよいのだ。モルモットもゾウも、予防原則の適用を歓迎するに違いない。

しかし、動物に情動能力を認めることには、それに対する社会の現状の対応のゆえに、不安を感じる者もいる。知りさえしなければ、あるいは知らないことにしておけば、現在多くの動物が受けている非人道的な扱いに、罪の意識や呵責《かしゃく》を感じずに済ませられる。第5章で紹介した科学者の事例もそれと同じだ。また、同じことは一般の人々、動物園の管理者、食品会社の従業員にも当てはまる。だが、すべての疑問が氷解したあとでも同様な態度をとり続けるのなら、それは単なる事実の否定にしかすぎない。動物の情動を否定することで、予防原則の適用を回避し、変化を起こさないようにできるのだ。

科学者を含む多くの人々は、確信が得られるまで行動を起こそうとしない。自らの手で状況をコントロールしたいからだ。しかし、この複雑な世界で、確実性を手に入れるのは容易なことではない。かぜの原因や、高圧線の近くに住むことが健康に悪影響を及ぼすかどうかなどといったことさえよくはわかっていないが、私たちは不必要なリスクを避けようとする。社会全体として、私たちは毎日何百万頭もの動物の生命や健康を不必要に脅かしている。動物は、食品の原料から医薬品の開発に至るまで、人間の生活の重要な局面にさまざまなあり方で関与しており、私たちは他には手段がないと考えている。動物の情動を考慮した方策を考案するのはあまりにも困難に思え、しかもその実践によって多くの犠牲が人間に強いられることが予想される。しかし問題の存在を否定しているだけでは、何事も解決し得ない。ヘンリー・ポラックが提案しているように、疑いや懸念は創造性を焚《た》きつける燃料にすべきなのだ。動物のケアと社会のニーズのどちらにも見合った方策は必ずあるはずだ。つねに完全なバランスをとることは不可能であったとしても、あらゆる選択肢を慎重に検討すべきことは明らかである。動物はそれだけの考慮に値する存在なのであり、そうすることは倫理によって要請される。

実験室では
——犠牲になっている動物の数

科学者の一人として、私は実験室における動物の虐待に大きな動揺を覚える。非現実的、自己中心的に聞こえるかもしれないが、科学者は一般人よりも高い基準を満たさなければならないと考えている。そう思うのは、単に一人の科学者の無思慮な行ないが全科学者の汚名になり得るというばかりでなく、一般の人々が科学者のひそみにならうケースが多いからだ。手本となるべき科学者が、交換可能なモノとして気軽に動物を扱っていたら、同じことをする許可を他の人々に与えるようなものだろう。しかし、科学者が、人道的な方法で研究を行なうよう努めていれば、他の人々が動物の虐待を正当化することははるかに困難になるはずだ。

実験室ではどのくらいの数の動物が使われているのだろうか？　一例をあげると、二〇〇一年にアメリカの実験室で使用に供された動物の数はおよそ、モルモット、ウサギ、ハムスターが六九万八〇〇〇匹、家畜が一六万一七〇〇〇頭、イヌが七万匹、霊長類が四万九四〇〇頭、ネコが二万二八〇〇〇匹、マウスとラットが八〇〇〇万匹だった。[*6] この数は食品産業で使われた一〇億単位の動物の数に比べれば小さいが、それでも相当な数にのぼる。これらの動物の大多数は、その一生を極端に小さな檻《おり》のなかで退屈しながら一頭だけで過ごし、研究者の都合によって実験室で死んでいく。実験動物のほとんどは、調査の一部としての死体解剖によって新たな研究の道筋が開けるという理由によって、研究者の手で意図的に殺されるか、劣悪な待遇に耐え切れず、意図されざる死を迎えるのだ。

科学界では、実験に供する動物の健康をできる限り保てるよう、研究者を導くことを意図した一連の職業基準が制定されている。アメリカでは、実験動物は動物保護法によって形式上は保護されている。しかしこれまでのところ、この法はうまく機能していないように思われる。それによって保護されているのは、アメリカで使われている実験動物のおよそ一パーセントにすぎず、しかも研究者の「ニーズ」に合わせるために、無意味な改訂がときになされている。たとえば、二〇〇四年の官報に次のような文言が見られる。「われわれは、動物という用語の定義の変更を反映させるために、動物保護法の規定を改訂中である。二〇〇二年の農業法（The Firm Security and Rural Investment Act of 2002）は、動物の定義から、実験室で用いられる鳥類、クマネズミ属のラット、およびハツカネズミを除外している」[*7]。

鳥類、ラット、マウスは、もはや動物とは見なされないと聞いて驚く人もいるかもしれない。研究者は動物を虐待することが許されていないので、研究にあまり使われない生物だけを指すように「動物」の定義のほうが都合よく変更される。その際、動物が感覚能力や共感能力を備えているか否かは、まったく考慮されない。

ホラーストーリー──実験室からモロー博士の島まで

ひどい虐待の話はほとんど聞かなくなった。科学者は動物のケアに最善を尽くすようになったと思う。しかし、「日常的な」実験の話でさえ、ときに聞いている私の気分が悪くなるほど、ひどく悲惨なものがいまだにある。たとえば動物保護法は、チンパンジーを四方一・五メートル、高さ二・一メートルほどの檻で飼うことを法的に許可している[*8]。この法律は、空間を節約することで確かに研究室の利益にはなる。だが、チンパンジーの福祉はいったいどこにいったのだろう？　マウスが共感能力を持つという最近の発見に応じて、他の個体に何が起こっているかがわからないように、不透明な障害物を使ってマウス個体間の視界を遮るべきとする提案がなされている。[*9] これは、実験中に他の個体の行動を観察できるマウスは、自らの行動を変えるケースがあり、したがってデータが「汚染」されるという理由に基づく。また、観察する側も、実験中に別の檻で起きていることに気をとられたくはないだろう。

実験を行なっている科学者は、「客観性」などといった故意に歪曲《わいきょく》された専門用語の壁を打ち破って、起こっていることをありのままに見られない場合がある。彼らの錯綜《さくそう》した説明を読んでいると、不思議の国のアリスになった気がすることがある。最近、ブタの痛みについて報告する論文の結論に、次のように書かれているのを読んだ。

手術を施しているあいだに音響パラメーターに観察された変化は、経験された痛みと苦しみを音声によって表現する一つの徴候として解釈することができる。私たちは次のように結論する。発声行動の注意深い分析は、動物の知覚する痛み、ストレス、不快に関する、より深い知識を獲得するのに役立つ。この結果は、麻酔なしで子ブタを去勢する現行の実践方法の批判的な再評価を要請する、さらなる事実を提供する。[*10]

要するに、現行の畜産業で一般に実践されている麻酔なしの去勢は、若いブタに苦痛を与えていると主張しているのだ。かん高い鳴き声や、恐ろしい運命からなんとか逃れようとするブタの行動からもわかるとおり、子ブタはそんな扱いを望んではいない。動物のかん高い鳴き声は、やはり実際に何かを意味するものとして「解釈」し得ると、著者は結論している。韜晦《とうかい》もはなはだしいと言えよう。

科学者のなかには、法律を進んで拡大解釈しようとする者がいる。彼らにとっては、それによってどれほどの痛みや苦しみが動物に引き起こされるかは眼中にないのだ。例をあげよう。米司法省から五〇万ドルの補助金を受けたウィスコンシン大学のある教授は、ブタの皮膚に直接電極を取り付け、心臓の近くにカテーテルを埋め込んでテーザー銃〔スタンガンの一種〕の電撃効果を測定している。[*11] かくしてテーザー銃は安全だという主張を証明するために、生きたブタが感電死させられたのだ。また、心理学者ハリー・ハーロウが行なった、サルを用いた母性剝奪の有名な実験がある。[*12] この博士は、子ザルを母親から引き離して何が起こるかを調べることで、母子の絆の本性を研究した。何が起こったかがわからない人などはたしているのだろうか？　もっとはっきり言えば、これらの研究者が、何がなんでも答えねばならないと考えている問いは、動物の苦痛や、死さえも正当化し得るほど重要なものなのか？

確かに、新たな知識の獲得のためにわずかな出血を覚悟することには、ときに大きな価値がある。しかし、とりわけ問題なのは、せっかく動物の研究によって得られた知識が、人間や動物の生活を改善するために役立てられていない場合が多いことだ。というのも、新たな発見を実用に供する立場にいる人々が、そもそも新発見に気づいていないからである。心理学者ケネス・シャピロは『動物をモデルにした人間心理（*Animal Models of Human Psychology*）』で、動物をモデルに使った人間の摂食障害の研究にもそれが当てはまると論じている。

同様に、種《しゅ》の相違は、人間の便益のために動物をモデルに使うことの効用を無効にする場合がある。この点は、とりわけ医師のレイ・グリークと獣医の妻ジーンが強調するところだ。二〇〇六年二月、高名な糖尿病研究所によって、次のように述べた報告書が刊行された。「マイアミ大学ミラー医学部糖尿病研究所によると、人間のランゲルハンス島〔膵臓《すいぞう》内に存在する島状の組織で、インシュリン、グルカゴンなどを分泌する〕の構成はげっ歯類のものとは大きく異なるので、この動物を人間の病気の研究に使うことはもはやできない」[*13]。また、米国医師会雑誌に掲載された論文によると、動物を対象にテストされ食品医薬品局によって認可された薬物に対する有害反応のために、毎年一〇万六〇〇〇人が病院で死亡している。[*14]薬物有害反応は、アメリカでは、心臓病、がん、脳卒中、肺病に次ぐ五番目に大きな死因になっている。

つけ加えておくと、うまく言い逃れられると思えば、研究のためには、あらゆる法的、倫理的制約を無視しようとする科学者がいる。一例をあげる。オレゴン地方霊長類研究センター（ORPRC）は、連邦動物保護法を侵犯しているとする申し立てが何度か提出されていた。[*15]一九九八年に、マット・ロセルは、事実を確かめるためにこの研究所に就職した。密かに調査を進めているうちに、基本的な飼育環境などに関していくつかのひどい取り扱いを発見した。当時はおよそ一〇〇〇頭のサルが飼われていたが、その多くは一・二メートル四方ほどの狭く不潔な檻に収容されていた。しかしもっともすさまじい扱いは「電撃射精」だ。これは、麻酔をかけずにオスのサルを革ひもで椅子にしばりつけ、ペニスの基部の周囲に二枚の金属片をとりつけ、電撃を与えて射精させ精子のサンプルを採取するというものである。一四六〇九番のサルには「ジョーズ」というあだ名がつけられていた。というのも管理人の一人が、檻の鉄格子をかじるよう教え込んでいたからだ。ロセルの報告によって「電撃射精」が禁じられるまでの一九九一年から二〇〇〇年にかけて、ジョーズは二四一回にわたってこの扱いを受けていた。なお、一度の精子採取において複数の電撃を受けた場合も一回に数えられている。ジョーズが必死になって窮地を逃れようとしたのも無理はない。やがて一人の獣医が辞職し、研究所で働いていた何人かの科学者が、飼育環境に関して批判的な見解を述べたが、ＯＲＰＲＣは存続している〔現在はオレゴン国立霊長類研究センター（ＯＮＰＲＣ）になっている〕。

職業基準――三つのR

科学者のあいだでは、動物を用いた研究の代替手段はないと一般に考えられている。また動物実験は、ワクチンや医薬品の開発、生物学的な仕組みや認知プロセスの理解、そしてもちろん染料からテーザー銃に至るまでの商業製品の開発における人体への安全性の確認に不可欠と見なされている。前述のとおり、自分の研究のためなら動物を使って何をしてもよいと考えている科学者もいるが、大多数は実験によって引き起こされる苦痛を最小限にとどめようとしている。もちろん、現在

「必要」だと考えられている手続きが、実際は創意工夫のなさによるものだったことが判明するケースもあるだろう。動物の福祉を重要視している研究者は、必要な情報を取得するために非侵襲的な手段を用いている。

いずれにせよ、ほとんどの科学者は、「三つのR」と呼ばれる職業基準にこれまで長く従ってきた。これは、動物に危害を加えるような手続きを改善し（Refining）、使用する動物の数を減らし（Reducing）、できり限り他の手段に置き換えよ（Replacing）というもので、一九五九年に刊行された『人道的な実験技術の原理――動物実験技術の基本原理3Rの原点』〔邦訳は二〇一二年〕と題する著書のなかで、ウィリアム・ラッセルとレックス・バーチによって提唱された。この考え方は、動物の福祉が重要であることに世間の目を向けさせた。科学者には、口先だけではなく、動物に与える影響を最小限にとどめるよう全力を尽くすか、可能ならば動物実験を排除することが求められる。

とはいえ、「三つのR」は法でも正式な行動規範でもなくガイドラインであり、科学者の研究計画をレビューしたり、代替案を出したりしてくれる者など誰もいない。つまり科学者各人が、実験を行なうにあたって、「三つのR」にどこまで厳密に従うかを決める必要があり、ときにそれは効率の名のもとに無視される。えてして科学者は、功名心にはやって治療方法の発見を急ぎ、人道的な代替手段を探すより、手慣れた侵襲的な手段を用いた動物実験を正当化し実行しようとする（それによって動物が死ぬことも多い）。しかも成果が上がる保証はどこにもない。医薬品や治療法が、動物を使ったテストに「パス」したあとでも、大勢の人々が死んだり苦しんだりしているのだ。動物実験に対する誤った期待は、その実践に際して資金を無駄遣いし多数の生命を犠牲にする。

事実、人道的に扱われ、ストレスを受けていない動物は「よりすぐれたデータ」をもたらすことを示す報告が多々ある。この事実は動物実験を正当化するものではなく、「適切にケアされていない動物を使って得られた情報の多くは損なわれており、実用に耐えない場合すらある」という点に人々の注意を喚起する。科学者が、都合に応じてではなく、つねに「三つのR」を実践していれば、その努力は、よりよいデータ、よき科学、そしてより思いやりのある世界をもたらすはずだ。

動物が感情を持っているか否かを議論していられるほど人生は長くないと言う人もいるだろう。確かにそうかもしれない。だが少なくとも、情動を持っているということは議論の余地なくただちにわかる〔思考が関与する感情は測定が困難であるが、身体反応に基づく情動は、科学的な装置によってある程度測定が可能である。第１章の情動と感情の定義を参照のこと〕。動物が何かを感じているかどうかを何人かの科学者が確かめているあいだに、無数の動物が耐え忍ばねばならないさまざまな苦痛は、残酷で受け入れがたい。

劣悪なデータ――檻と孤独の影響

動物の研究の多くは、実験室で行なわれている。その環境下では、動物はストレスを受けやすい。ストレスを受けている個体は、そうでない個体と同じようには振る舞わない。とりわけ情動と行動に関して言えば、不安や退屈を感じている動物を対象に得られた情報は、同種の個体の正常時の行動を理解するのにあまり役立たない。科学者のフランソワーズ・ウィメルスフェルダーは、何もない小さな檻に一生閉じ込められた動物が示す異常な行動を説明するのに、「倦怠《けんたい》」という用語がよく使われるとコメントしている。[*16]

ウィメルスフェルダーは、倦怠を「環境に積極的に注意を向け関わる能力の低下」と定義する。退屈した個体は、刺激を受けている個体より、座ったり、横になったり、眠ったりしている時間が長く、新奇な、あるいは予想外のできごとが起こると、大きな恐怖を感じ、攻撃性を高めることで過剰に反応する。また、行ったり来たりする、檻の鉄格子を噛むなど、紋切り型の動作を繰り返す。ウィメルスフェルダーは次のように言う。

そのような行動は、他の個体に損傷をもたらす場合がある。たとえばラットやマウスが子どもの尻尾や耳をなめたりかじったりすると、共食いに陥る危険がある。長く檻に閉じ込められていると、次第に動物は、自らの身体や排泄《はいせつ》物を対象にそのような行動パターンを実践し始める。霊長類は、長時間マスターベーションにふけり、体を揺すり、自分の排泄物を食べたり吐き出したりするようになる。ラットは自分の尻尾を追いかけ、つながれたブタは大量の唾液を生み出す以外に何の効果もないにもかかわらず、繰り返し噛む動作をする。このような傾向は、やがてさまざまな形態の強迫的な自傷行為に発達していく。実験室で飼われているサルは自分の手足や生殖器を噛み、オウムは全面地肌になるまで自分の羽を引き抜く。要するに、閉じ込められた動物が示す周囲とのやり取りの全体的な減少は、行動の画一化と、自身を対象にした行動の増加に至る。

これらの行動パターンは「異常」に見えるかもしれないが、実を言えば、何もない檻に閉じ込められ、仲間や遊ぶものを欠く状況に置かれた個体が示す「正常な」反応なのである。ウィメルスフェルダーは、「それは人間における行動病理にとても似ている。人間に関しては、異常な行動は、抑うつやその他の形態の主観的な苦悩を示す兆候として一般に解釈される」と述べる。だとすると、動物が情動と苦痛を経験する能力を持つという事実が、実験室の劣悪な環境によって、意図せずしてさらにはっきりと示されたことになる。異常な繰り返し行動（ＡＲＢ）に関する一連のすぐれた論文のなかで、ジョージア・メイソンらは、世界中の動物園で飼われている野生動物の少なくとも一万頭が、紋切り型の行動を示していると指摘する。[*17] この画期的な研究の結果、メイソンらは、「ＡＲＢの撲滅」を求めている。というのも、ＡＲＢは動物の福祉の貧困を示し、明らかに重大な倫理問題を提起するからだ。

ウィメルスフェルダーは、動物の倦怠を綿密に研究し、次のような環境エンリッチメントによって倦怠を緩和できるという事実を発見している。これは、玩具、わら、遊び仲間を与えることから成る。エサを与える際に何かをさせることは、倦怠の緩和に役立つ。ウサギなどの動物は、より刺激に満ちた環境に置かれると、活動量が増し、子を多く産み、攻撃性を減じる。

「それらの手段を組みあわせて、その動物の持つ固有の行動様式の自発的で柔軟な側面を強化できれば、飼育動物の福祉と研究の質の両方に関して、大きな恩恵が得られる」と、ウィメルスフェルダーは主張する。つまり、満足を感じている動物は、よりすぐれたデータを提供でき、科学調査のより「正常な」モデルになるのだ。そして、そのような個体が示す実験への反応は、より安定し、一貫する。オランダのある研究所では、環境エンリッチメントの採用によって、実験に必要な動物の数をかなり減らすことに成功している。[*18] というのも、より満足した動物は、それだけ信頼性の高い実験結果をもたらすからだ。これらの事実は、動物の福祉に留意し、それに何が必要なのかを正しく把握する努力によって、同時に科学研究の質の向上がもたらされることを明白に示している。また、動物が生活する環境を改善しようとする努力は、飼育する側の満足度も高める。

環境の豊かさは、そこに住む霊長類の脳の構造と学習能力に影響を及ぼすことも知られている。[*19] この研究では、チャールズ・グロス教授は、倦怠がサルを愚かにすることを示唆する研究を行なっている。この研究では、成体のキヌザルのペアを、三つのタイプの檻のどれかで一か月間過ごさせた。一つは、エサ皿以外は何もない檻だが、それでもアメリカ国立衛生研究所（ＮＩＨ）の規定する最低基準は満たしていた。二つ目の檻はやや大きく、玩具と、探し出して食べられる、生きた虫がついている枝などの物が置かれていた。三つ目の檻は二倍の大きさを持ち、さらに多くの玩具が置かれていた。

残念ながら、実験に用いられたキヌザルは脳の調査のために殺された。それによってグロス教授は次の事実を発見している。二つ目と三つ目の檻で飼われていた個体にはより密度の高いニューロンの発達が見られ、ニューロン間でメッセージを伝達するのに使われているシナプスタンパク質の量がほぼ二倍になっていた。この結果から、認知研究に用いる動物は、ＮＩＨの規定する基準より刺激の多い環境で飼う必要があると彼は主張する。まさにそのとおり。さらに言えば、その是非はともかくこの研究がなされ、結果がはっきりした以上、同じことを繰り返して、本来その福祉を向上させることが研究の目的であるはずのサルをこれ以上殺す理由は何もない。

非侵襲的な研究――最新技術を駆使したよりよい科学の実践

これまで、認知、行動、情動が関与する動物研究では、脳の解剖分析を行なうために、研究対象の動物は最後に殺された。心を研究するために心を殺すことが当たり前だと科学者が考えているとすれば、それは奇妙なことだ。とはいえ、それがおかしなことであるという見方に同意する科学者は増えつつあり、研究対象の動物の福祉を改善し生命を守る、いくつかの非侵襲的な調査技術を開発している。前述のとおり、この努力はそれによって得られる情報の質と信頼性をも改善する。

生物学者ドリアン・ハウザーらは、イルカの脳のなかで聴覚やエコロケーション〔動物が音波を発し、その反響によって周囲の状況を知ること〕がどのように処理されているのかを調査している。[*20] この調査では、脳スキャンを用いて、イルカの「脳のメロン」と呼ばれる、コミュニケーションに使われるクリック音の情報を処理する部位の血流が測定された。ハウザーは、脳をスキャンする際、イルカの不安を鎮めるためにジアゼパム〔不安や緊張を抑える薬物〕を与えることまでしている。

動物にストレスをかけたり傷を負わせたりする研究は、誤解のもとになるデータを生み、そもそも研究の焦点である問いに答えることをむずかしくする。しかし私たちは、実験対象の動物や人間にかかるストレスを最低限に抑えられる方法を用いて活動中の脳を調査することで、多くを学べるはずだ。この点に関してことに重要なのは、機能的磁気共鳴画像法（ｆＭＲＩ）やポジトロン断層法（ＰＥＴ）などの非侵襲的な画像法を採用することである。これらの脳スキャン技術によって、人間、あるいは条件によっては動物が特定の社会的な状況に置かれたときに示す脳の活動を局所的にとらえることが可能になる。ミラーニューロンの研究と同様、ｆＭＲＩとＰＥＴは、たとえばゾウの巨大な海馬体の確証など、認知、情動に関して、これまで私たちが予測してきた多くのことがらを実証する堅固な脳神経学的証拠をもたらしつつある。社会神経科学は急速に発展しており、共感、赦し、協力、母子関係、そして情動一般に関して、これから多くの興味深い情報をもたらしてくれることだろう。

これまでのところｆＭＲＩは、動物ではなくおもに人間を対象に用いられてきた。しかし、じっとしていない乳児に対してもうまく用いられており、近い将来、同様に落ち着かせることが困難な動物にも、この非侵襲的で有用な技術が適用できるようになるはずだ。そうなれば、覚醒状態にある動物を対象に、認知プロセスや情動を研究できるようになるだろう。

これらの方法が、動物の研究にいかに役立つかを示す刺激的な例を一つあげよう。ジェームズ・リリングらは、アカゲザルの支配的なオスが、あつらえられた社会的状況において示す神経反応を、

PETを用いて調査した。[*21] 九頭の支配的なオスが困難な状況に直面するよう仕組んだのだ。それは、つがいのメスとライバルのオスが、性的行為に結びつくやり取りをするところを被験個体に見せるというものだった。また比較のために、ライバルのオスがいない状況も設定した。PETスキャンを実施する際には、サルは蛍光色素を注射され、血液の採取と、脳による色素の取り込み状況の測定ができるように、鎮静剤を与えられた。このような手段の採用により、この手の研究で通常なされているように、サルを死に至らしめる必要はなかった。研究者は、とりわけつがいの相手の独占権が脅かされたときに示すオスの嫉妬に関心があった（彼らは大胆にも嫉妬という用語を使っている）。この実験では、人間とサルの性的嫉妬の類似性、および困難な状況に直面したオスが示す警戒や不安の表現に関与している、両種間で類似する神経回路網が発見されている。

人道的な研究が増えることで、あらゆる場所で動物の待遇が改善されることを切に望む。私のお気に入りのバンパーステッカーの文句の一つに、「下がれ、私は科学者だ！」というものがある。この文句が滑稽なのは、真実をついているからだ。研究者の多くは、自分の方法や目的は決して疑われるべきではないと傲慢にも感じている。だが、そう言われて引き下がるべきではない。私たちはいつでも科学者に難題をつきつけ、動物の待遇に責任を持つよう要請できてしかるべきだ。

畜産場では
――私たちが食べる肉

多数の動物が、研究、教育、衣類、娯楽などに使われているが、食用に供される動物はそれとは比較にならないほど多い。また、前者の環境における動物の待遇は、無思慮から非難に値するといった程度の場合が多いが、後者においてはそれとは比べ物にならないほどおぞましい。最近、工場式畜産や食肉加工業の実態が何度か暴露されているので、ここでその罪状を列挙することはしない。[*22] しかし一つだけ指摘しておくと、動物の感覚能力に対する予防原則を真っ先に適用する必要がある分野を一つあげるなら、それはこれらの産業だ。では、私たちの食料を調達するために、どのくらい残酷なことが行われているのだろうか？

犠牲になっている動物の数には驚くべきものがある。一九九八年にはアメリカだけで、二六八億頭（つまり一日に七三四二万四六五七頭、一時間あたり三〇五万九三六一頭、一分あたり五万九八九頭、一秒につき八五〇頭）の動物が食料用に屠畜《とちく》されている。[*23] 想像もつかないほど多数の動物がたった一日で殺されていることになる。その上、現代の工場式畜産には醜聞がつきまとっている。世界でもっとも悲惨なスラム街ですら、ウシやニワトリやブタの多くが一生を過ごす環境に比べればひどくはない。これらの家畜は、小さな檻か、柵に囲まれた小区画に押し込まれ、泥と自らの排泄物にまみれながら寝ている。そして最後は、機械的な手段によって屠畜される。しかも、ニワトリの一二パーセント、ブタの一四パーセントは、屠畜するに十分なほど生育する前に、ストレス、負傷、病気によって死んでいく。

これらの弱った個体も、「むだに」はされない。「４Ｄビン」と呼ばれるコンテナに収容されるのだ。[*24]「４Ｄ」とは、「死んだ（Dead）」「死にかけている（Dying）」「病気にかかっている（Diseased）」「障害を持った（Disabled）」を意味する。４Ｄビンに収容された動物はペットフードになる。つまり私たちのペットのエサになるのだ。

だが、幸いなことに、こうした実態に人々は気づきつつある。最悪の虐待を避けるために畜産農家ができることの一つは、ニワトリや家畜を放し飼いにして育てることだ。政府もときに介入している。欧州連合は、ニワトリを一七〇センチ四方の空間につめ込むワイヤー製のバタリーケージ〔多段式のケージ〕を、二〇一二年までに徐々に廃止する方針だ。[*25]バタリーケージにつめ込まれたニワトリは、まっすぐ立つことも、羽を伸ばすことも、運動することもできない。それに加えて、さまざまな傷を負いやすい。問題の規模を考えると、これらの改善による全体的な効果は小さいかもしれないが、少なくとも正しい方向に歩み始めるきっかけにはなる。つけ加えておくと、二〇〇六年にドイツはアザラシ製品の取引を禁止している。[*26]

菜食主義による解決方法

一日、自由や正義について語りあってから、ステーキを食べた。一口かじると、不幸を食べているような気がして、すぐに吐き出した。

——アリス・ウォーカー『私はブルー？（*Am I Blue?*）』*27

私が菜食主義者《ベジタリアン》になったのは、ひとえに倫理的な理由からだ。ウシ、ブタ、ニワトリから魚類やロブスターに至るまで、感覚能力を持つ動物の屠畜を目的とする工場式畜産場を特徴づけている非人道的な取り扱いの片棒をかつぎたくはなかった。ある同僚は、「業界の人々を動機づけている主要な問いは〈どれだけのニワトリを、ワセリンと靴べらを使ってケージにつめ込めるか〉だ」と言う。ある日私は、自分の主張を自ら実践すべきことに気づいた。たとえ人道的な方法が用いられていたとしても、自分の食事のために動物が殺されていることを考えるといたたまれなくなってきたのだ。実際にはそれほどむずかしいことではなかった。それによって生活スタイルを変えたわけでもなければ、サイクリングをやめたわけでもない。事実、モヤモヤが晴れてただちに気分がよくなった。

多くの人々は、自分の食べる物に関して深く混乱している。何を食べるのか、栽培や飼育の方法はいかなるものか、どうやって処理されたのか、出所はどこか、誰が利益を得ているのか、誰が犠牲になっているのかなど、考慮すべきことはいろいろある。そして、心と身体の健康のために何を食べればよいのかを、各人が自分で決定しなければならない。厳密ではないながらも、自分をベジタリアンと見なす人々がいる。彼らは、魚は食べるかもしれないし、祝日などに例外的に肉を食べたり、「顔のない動物」を食べたりしているかもしれない。たとえば、感覚能力がなく痛みを感じないという理由で、顔のない貝類を食べる人がいる。ほんとうに痛みを感じていないのか真実はわからないとしても、いずれにせよ人々は自分の判断でどこかに線を引く。これらの人々はベジタリアンというより、ピーター・シンガーとジム・メイソンが『私たちはいかに食べるか（*The Way We Eat*）』で、「良心的な雑食主義者（conscientious omnivores）」と呼んでいるタイプの人々に相当する。

倫理的な問題はさておき、肉類を除外すべき理由がいくつかある。主要な問題の一つは、環境に関するものだ。工場式畜産の飼育場や屠畜場は、甚大な環境悪化をもたらす。ルーカス・レイジンダースとサム・ソレットによれば、大豆の生産に比べ、食肉生産は、より広大な土地（六〜一七倍）、大量の水（四・四〜二六倍）、化石燃料（六〜二〇倍）、殺生物剤《バイオサイド》（六倍、また加工過程では殺虫剤や化学薬品が多量に使われる）を必要とする。[*28] 滑稽に聞こえるかもしれないが、ウシはメタンの大きな発生源である。ジェームズ・バーソロミューによれば、「一頭の乳牛は、げっぷと放屁《ほうひ》によって年間一一四キロのメタンを放出する、まさしくメタン生成器だ。メタンは、温室効果ガスとして二酸化炭素よりはるかに致命的で、二三倍の効果を持つ。ただし大気中での寿命は短い。一頭のウシによって生産されるメタンの量は、二六二二キロの二酸化炭素に匹敵する」。[*29] さらに言えば、フレッド・フラドキンによると、畜産業は、水量が減少しつつあるアメリカ西部において、最大の水の消費者になっている。

私の願いにもかかわらず、ベジタリアンのみから成る社会は、実現するとしても当分は無理であろうが、そもそもそれについて語ることが「過激」だと考えられている理由が、私には理解できない。動物に情動や感情を認めることが、ほんとうに過激なのだろうか？　ベジタリアンの世界はもっと思いやりに満ちていると、私は思う。いずれにせよ、自分を何と呼ぼうが、何をするつもりだろうが、「良心的」たろうとする限り、また、食べ物の選択を慎重かつ綿密に検討するのであれば（ジェーン・グドールの言葉を借りれば、心を配りながら食生活を送るのなら）、何十億頭もの感覚能力ある動物が受けている意図的な危害を削減できないはずはない。

動物園では
——檻、保護、娯楽

人々は動物園の魅力的な動物を見て感嘆の声をあげる。しかし、そのことは、動物を捕獲し、自然環境と家族から引きはがし、檻に閉じ込め、休日を含め毎日見せ物にする十分な理由になるのだろうか？　否。だから、動物園は、公衆を対象に動物とその保護に関する教育を行なうため、そして動物種を保護するためという二つの目標を公言しているのだ。

これらは称賛に値する目標ではあるが、根拠の薄弱な二つの前提に基づいている。動物園はこれらの目標を実際に達成できるという前提と、適切に動物をケアできるという前提だ。そもそも動物園が入園者の教育にどれほど寄与しているのか、また、動物種の保護に重要な役割を果たせているのかを評価するのに十分な証拠データは存在しない。アメリカの動物園と補助金認定を監督している動物園水族館協会（ＡＺＡ）でさえ、自らの実施要領のなかで「動物の保護、気づき、感情、行動に関して、動物園や水族館が、入園者にどれほどの影響を与えているのかを調査する系統的な研究は、ほとんど行なわれていない」と認めている。[＊30] その一方、ＡＺＡは、動物保護プラン（ＳＳＰ）と呼ばれる保護管理プログラムを実施して、繁殖管理、基礎／応用研究、野生動物の管理者や動物園の飼育係の訓練、動物園で生まれた野生動物のその種固有の環境への再導入を行ない、特定の野生種を存続させようとしている。これらの努力自体は称賛に値するが、その適用に関してはさまざまな批判がある。アトランタ動物園の園長テリー・メイプルは、「動物園の利点はＳＳＰにあるとのたまう動物園関係者は、煙幕を張っていると考えたほうがよい」と述べている。[＊31]

動物園は実際には教育もしていなければ、種の保存にも重要でないのなら、少なくとも飼育に関しては信頼できるのだろうか？　残念ながら、「ノー」と答えざるを得ない場合が多い。

お粗末な通信簿――国立動物園の成績

動物園には予算があり、よい管理者と悪い管理者がおり、限界がある。動物園は完全ではない。

とはいえ、アメリカのなかでも最大かつもっとも有名な動物園、首都ワシントンにあるスミソニアン国立動物園すら、適切な動物の世話ができていないとしたらどうだろう？

二〇〇五年、農業と自然資源に関する全国調査委員会は、スミソニアン国立動物園を対象に実施した調査の結果を発表した。[*32] この調査の目的は、「現在の基本施設《インフラストラクチャー》の長所、短所、ニーズ、欠陥を見極める」ことにあった。調査が行なわれたそもそもの理由は、管理の不行き届き、不適切な動物の待遇の疑いが持たれていたからだ。とりわけ、二頭のレッサーパンダが殺鼠《さっそ》剤にさらされて死に、不必要な死を防げたはずの安全管理者がどこにも見つからなかったとき、疑念は強まった。全国調査委員会は、何人かの専門家に結果報告を読ませコメントを求めているが、そのなかの一人は私だった。

かいつまんで言うと、多数の動物が、国立動物園で不適切な扱いを受けていた。大きな問題が何度も発生しており、連邦制定法などの諸法やガイドラインの違反が数多く見られた。単なる常識の欠如としか思えないような問題もあった。総括すると、報告書に記述されている違反は、誰もが想像していなかったほどひどく許しがたいもので、読んでいて気分が悪くなるほどだった。

私は、いくつか大きな懸念を感じた。それには、予防医学プログラムに関する書類の欠如、そして年度試験、予防接種、結核検査、伝染病検査の実施規定を遵守していないことがあげられる。世界レベルの調査力という触れ込みにもかかわらず、動物の栄養管理に問題があり、報告書には、そのために「まちがいなく国立動物園の動物を死に至らしめた」とあった。公衆衛生局、動物保護法、

ＡＺＡ、そして研究機関における動物のケアと使用に関する委員会（ＩＡＣＵＣ）によって支持されているガイドラインは無視され、さらには、国立動物園自身が規定する、動物の福祉健康のための方針や手続きさえ守られていないというありさまだった。安楽死に関するガイドラインや、隔離の規約や手続きも侵犯され、害虫駆除の実施状況も貧弱であった。いくつかの分野では記録がまともに残されておらず、また、残されていた記録についても適切に公開されていなかった。

もっとも悪辣な侵犯は、獣医学記録の手直しだ。しかも、アメリカ獣医師会によって認定された獣医が雇われていたにもかかわらず、違反や虐待が行なわれていたことには、とりわけ大きな懸念を覚える。国立動物園で働いている人々の多くは誠実に動物を世話していることは明らかだが、動物園の運営に責任を持つ何人かの管理者は、恥ずべきことに動物の福祉に対する関心をまったく持っていなかったらしい。

それに対してＡＺＡは何をしたのだろうか？　協会は、必要な基準を満たせない動物園から認定を剝奪する権利を持っているはずだ。ところが、国立動物園の実態はとても許しがたい嘆かわしい状況にあり、「前回のＡＺＡ認定報告で勧告されていた」継続的な改善計画が実施されていなかったにもかかわらず、ＡＺＡは二〇〇四年三月に国立動物園の認定を更新している。しかも、調査委員会は「管理者には、動物のケアと管理に対する自らの役割を果たそうとする努力が見られず、あらゆるレベルで責任が欠如している」と結論していたのだ。これは非常に強い批判の言葉だ。この報告書は本来改善を促進するためのものであるにもかかわらず、多くの問題があからさまに無視されていた。国立動物園の問題は、AZAにも当てはまると言わざるを得ない。

国立動物園の話には、もう一つ奇怪なおまけがある。人々に愛されたキリンのリマが死んだとき、園長は、「動物のプライバシー権の侵害になり、また、飼育係と動物の関係への余計な介入になるので」死因を公開できないと言った。ここでは、動物園の評判を傷つける情報を露骨に隠そうとしていると見なすより、この論法に関して率直な質問がしたい。法廷は動物のプライバシー権を認めてはいないが、園長の言うようにそれが存在するのなら、なぜ国立動物園は、同意も得ずに、動物が食べ、水浴びし、求愛し、交尾し、寝るところを公開しているのか？ また医者と患者の関係のように、守秘義務を主張するのもばかげている。病歴が公開されると、リマの評判が傷つくとでもいうのだろうか？ いったい誰に対する評判なのか？ 入園者が知ったら、他のキリンがきまり悪く感じるというのか？ そしてもっとも重要な問いは、「動物がプライバシー権を持っているのなら、なぜ自由に暮らす権利はないのか？」だ。

私たちは、動物園の環境や、人間の世話に依存せざるを得ない動物の福祉に関して、意図的に誤った印象を植えつけられているケースが多々ある。また、動物に関する人々の知識や態度に、動物園がどんな影響を及ぼしているのかを知るための情報は、今のところない。AZA自身、この問いについてはほとんど調査されていないと認めている。私たちは彼らにもっと要求すべきである。なぜなら、あまりにも多くの動物が、毎日動物園で苦しんでいるからだ。

部屋の中のゾウ――明らかな苦しみ

過去数年のあいだに、動物園で何頭かのゾウが死んでいる。ゾウの死は、動物園にとって大きなできごとであり、つねに一般の知るところになる。二〇〇六年六月、ギタという名のゾウがロサンゼルス動物園で死んだ。それに際して『タイム』誌は、即座に「動物園はゾウを殺しているのか？」というタイトルの記事を掲載した。[*33] 理にかなった問いだ。ゾウは情動的かつ社会的な動物で、歩き回るのを好む。動物園の環境は、まさにこの定義に反する。

たとえば、二〇〇一年の春、デンバー動物園で、あたかもソファーを部屋から部屋へ移すかのように、アジアゾウが定期的にあちこちに移動させられた。ＡＺＡとデンバー動物園の無関心に業を煮やした私とロッキー山脈動物保護の会（ＲＭＡＤ）は、これに介入した。まず三二歳のメス、ドリーが、四二歳のミミと四九歳のキャンディから引き離され、繁殖のためにミズーリ州に送られる（動物園はこれを「ハネムーン」と呼んでいた）。数か月後には、成体のメス、ホープと二歳半のオス、アミゴ（母親から引き離された）がデンバー動物園にやって来て、ミミとキャンディの隣の区画で暮らすことになる。翌月になるとミミが興奮し始め、二〇〇一年六月、ミミに押し倒されたキャンディを、安楽死させなければならなくなる。キャンディが死んだ次の日、他のゾウの嗅覚が届く範囲のなかで解剖が行なわれ、さらにその翌日、ホープが飼育係の手を逃れ、幸運にも死傷者は出なかったが、動物園中を暴れ回る。ホープはよそに移され、新しいゾウ、ロージーが送られてくる。

ゾウは、母系家族制のグループを組んで暮らし、その社会関係は深く、長続きする。記憶力が抜群で、仲間と生涯にわたる関係を築き、離別や死別によってその絆が切れると深く悲しむ。グループの出入りが激しいと、社会秩序に重大な混乱をきたす場合があり、個体によってはひどく動揺する。まさにそれが、デンバー動物園で起きたことだ。ミミはドリーとの離別に、ホープはキャンディの死と解剖に反応したのだ。彼らは満足しているだろうか？　絶対にしていない。彼らの待遇は動物園としては標準的なものだが、それでも苦痛や死をもたらした。

アラスカ州フェアバンクスにあるアラスカ動物園で、ただ一頭で暮らしていたアフリカゾウ、マギーのケースはどうだろう？[*34]　彼女は雪のなかを無目的に歩き回っていることが多かった。また彼女には、運動する場所もなければ仲間もいなかった。動物園の管理者にも、彼女が支援を必要としていることは明らかであった。そこで彼らが一〇万ドル以上をつぎ込んで用意したものとは、マギーが使いもしない歩行装置《トレッドミル》だった。園長のテックス・エドワーズは、「私たちは正しいことをしていると思う」とコメントしている。しかしそんな環境でゾウを飼うことが「正しい」はずはない。ゾウの社会的、情動的な生活に関してこれまでに得られている豊富な情報をまったく無視しているからだ。なぜもっと暖かい場所にあり、仲間もいるサンクチュアリにマギーを送らないのか？　それこそが、人道的で「正しい」待遇だと言えよう。

崩壊した家族、失われた仲間

ゾウについて言えることは、他の動物のほとんどにも当てはまる。動物園は、単純に動物の身体的なニーズに応えてそれで済ませるわけにはいかない。他にも社会的、情動的なニーズも満たさなければならず、さもないと、人間と同様ネガティブな影響が現れ始める。動物も家族や仲間を持つのであって、その喪失に気づくことができる。

そのことは、私自身、自分の目で確かめたことがある。私と学生は、八年にわたり、ワイオミング州のグランドティトン国立公園でコヨーテの研究をしていた。*35（母親だったので）私たちが「マム」と呼んでいたメスは、家族を置いたままエサの渉猟に出かけることが多くなり始めた。数時間どこかに出かけてから、何事もなかったかのように家族のもとに戻ってくるようになったのだ。彼女がいないあいだの家族の反応を知りたかった私たちは、何が起こるかを観察していた。やがてマムが出かけている時間は次第に長くなっていった。丸一日あるいは二日にわたるケースもあった。マムが出かける直前には、頭を横に傾け、「今度はどこにいくつもりなのかね？」とでも言いたそうに眉をひそめながら、興味津々といった様子で彼女のほうを見ている群れのメンバーもいた。子どもの何頭かは、しばらく彼女のあとを追っていった。そしてマムが戻ってきたときには、鳴き声をあげ、彼女の鼻先をなめ、尻尾を風車のように振り回し、彼女の前で転がり回ることで喜びを表現した。明らかに、彼女がいないあいだ、子どもと父親は、寂しく思っていたようだ。

ある日マムは、群れを離れたあと二度と戻ってこなかった。群れは彼女の帰りを辛抱強く待っていた。神経質そうに、あるいは期待するような様子で歩き回る個体や、彼女が出かけた方向へしばらく歩いて行き、立ち止まったとおぼしき場所のにおいをかぎ、彼女を呼び戻そうとするかのようにほえ、結局何の手がかりも得られずに戻ってくる個体もいた。一週間以上にわたって、群れの活動は停滞した。家族は沈み込み、私たちは、コヨーテにその能力があるのなら、きっと泣き叫んでいたに違いないとさえ思った。彼らの態度は、それほど深く複雑な感情を表現していたのだ。

しばらくすると、群れの生活はほぼ普段の状態に戻った。見慣れない新たなメスが加わり、支配的なオスとつがい、二年間で一〇匹の子が生まれた。今度は彼女が母親になったのである。しかし折に触れて、群れの何頭かは、依然としてマムがいなくなったことを寂しく思っているような態度を示していた。背筋を伸ばして座り、あたりを見回し、風上に鼻を向け、さらにはマムが消えていった方角に向かってしばらく歩いて行き、疲れて一頭で帰ってくる個体がいたのだ。

このような行動は、三、四か月続いたあと見られなくなった。生活は続いていかねばならないのであって、どこかで区切りは必要だ。野生のコヨーテに関しては、喪失からの回復と治癒は可能であった。しかしそれは、動物園に囚われているコヨーテには非常にむずかしい。動物園は、経済的な理由によって動物を移動させたり、もしくは単に一般の興味を引くために展示環境を変えたりする。しかし、ほとんどの動物は密接な家族関係、あるいは社会関係を結んで生きているのであり、そのような動物園のやり方は、動物の福祉に破壊的な影響を与える場合がある。

情動エンリッチメント――心をケアする

すでに述べたように、動物園の雇用者のほとんどは担当している動物を真摯にケアしている。たいてい動物の苦しみは、飼育係が残酷だからではなく、動物園のビジネスに動物のニーズが合わないために生じる。事実、劣悪な環境のもとに置かれている動物のニーズに気づき、そのような状況を緩和しようと努めている人々はつねに存在する。

動物園ではないが、テキサス州ボイドにある国際エキゾチックネコ科サンクチュアリは興味深い例だ。このサンクチュアリに勤めるルイス・ドーフマンとスコット・コールマンは、彼らの言う「情動エンリッチメント」を用いて、野生に戻せない外国産ネコ科動物の生活を改善している。[*36] このサンクチュアリは、個々のニーズに注意深く、そして辛抱強く注意を払いながら、各個体がストレスを感じないよう、また、飼い主たる人間との信頼と愛情に満ちた関係を結べるよう努力している。情動エンリッチメントは、人間との交流という形態をとるが、必ずしも直接的、身体的なものとは限らない。正しい認識、注意、ケアから成る単純明快なこの姿勢は、動物を安心させ、変化を促進するのに十分であり、性格も情動面でのニーズも三者三様の各個体に対し有効に機能する。

また、オランダのある動物園は、森林伐採によって生息地が破壊されたために、捕獲され小さな檻で飼われているインドネシアのオランウータンの情動的なニーズに巧みな方法で対応している。[*37] これらインドネシアの個体と、オランダの動物園にいる個体が交流できるように、両箇所にウェブカメラとモニターを設置したのだ。どうやらオランウータンは、カメラに向かって示す動作や顔の表情をもとにして交流しているらしい。同時に、ウェブカメラによる撮影記録は、オランウータンの行動を研究するための材料としても利用できる。

もう一つゾウのストーリーを紹介しよう。クロアチアのザグレブ動物園で、スマという四五歳のゾウが、つがいの相手のパトナががんで死んだあと、激しい興奮状態に陥った。[*38] それからすぐに、飼育係は、モーツァルトの音楽を聴くとスマが落ち着くのを発見する。「フェンスにもたれかかって目を閉じ、身じろぎもせずに最後まで聴いていた」とのこと。モーツァルトの音楽が、スマの悲しみを癒すのに役立つと知った動物園の管理者は、ステレオを持ち込み、彼女のためにミュージックセラピーを行なうことにしたのだそうだ。

かくしてスマの生活が豊かになったのは確かだが、仲間がいる場所へただちに移したほうがよいと思う。それに関して言えば、実際のところ、動物園で飼われているすべてのゾウを、より快適なサンクチュアリに移すべきだというのが私の見解だ。それに同意する動物園もある。二〇〇六年、『ニューヨーク・タイムズ』紙に次のような記事が掲載された。「ブロンクス動物園は、（……）三頭のゾウ、パティー、マキシン、ハッピーの死に臨み、社会的、動物行動学的な理由により、ゾウの展示を徐々に廃止すると発表した。これはゾウの独自の感受性とニーズに関する新たな発見を考慮したものである」[*39]。デトロイト、シカゴ、サンフランシスコ、フィラデルフィアの動物園が、それに続いた。

動物園は、ここしばらくは存続するであろうが、徐々に廃止の方向にもっていき、飼育動物をよりよい環境のもとへ移動させる必要があると、私は考えている。また、ＡＺＡは認定、再認定の基準をもっと厳しくすべきだ。節約された資金は、野生動物や生息地の保護、一般の人々への教育にまわすことができる。いずれにしても、動物園が存続しているうちは、そこに住むすべての動物の身体的、情動的なニーズを満たさなければならない。そのために動物園は存在しているのであり、最善の環境を動物たちに提供することは私たちの義務である。

野生環境においては
——文明と野生

私たちは恥辱にまみれた世代の一員だ。後世の人々は、私たちの動物の扱い方におぞましさを感じることだろう。

——ジル・ロビンソン（アニマルズ・アジアの創設者[*40]）

文明化した人類は、文明世界の辺境に位置する荒地と、これまで長く混乱した関係を続けてきた。飼い慣らそうとしたり、浸食されないようにしたりしこそすれ、黙って放置しておくことはなかった。おそらくそうすることはできないのだろう。私たちが悪いわけではない。荒地（wilderness）が「荒れ果てた（wild）」と呼ばれるのには理由がある。それは、好き勝手に成長し、それ自身のルールを持つ。めったに、人間の作った柵や境界線を尊重しようとはしないのだ。

私たちには野生動物に対する責任はないように思われるが、実際のところ彼らに対するケアも必要なのである。というのも、私たちはすでに、自分たちの利益のために荒地を「管理」しようと努めているからだ。市街地や郊外地域、あるいは農地や牧草地が拡大していくにつれ荒地は縮小し、野生動物は致命的な状況に追い込まれている。行動半径の広い動物は、それに対処するのが困難であり、文明社会へと侵入せざるを得ない。ところが人間はそれを好まない。シカは庭を荒らし、捕食動物はヒツジを殺すからだ。そのため人間は、自分たちが築き上げてきたものを守るために、侵入してきた野生動物を殺す。アメリカ西部のほとんどの地域では、そこに生息していたハイイログマやオオカミなどの捕食動物は絶滅した。これは悪循環と見なせよう。このような傾向を緩和する一つの方法は、私たち自身が、どこに住み、いかに暮らすべきかに細心の注意を払うことであろう。野生動物の習性と生息地について理解を深め、人間にとっては不都合で、動物にとっては致命的な競合を避けるよう最善の努力を払わねばならない。有効な対策としてあげられるのは、Y2Y（イエローストーンからユーコンまで）自然保護イニシアチブによって提案されているもののような自然保護地区を設けることだ。[*41] Y2Yイニシアチブは、ハイイログマなどの動物が、この山岳地域の生態系のなかで自由に移動できる回廊地帯を設定している。

多数の野生動物が、連邦機関の手で殺されている。[*42] 二〇〇四年、アメリカ合衆国魚類野生生物局は、二七〇万頭以上の動物を殺している。これには、オオカミ、コヨーテ、ピューマなど、ほぼ八万三〇〇〇頭の哺乳類の肉食動物が含まれる。トラップ、足罠、首罠、毒薬などが使われている。また、空中から狙撃したり、巣穴から追い立てたりしている。しかも、そのような殺傷は通常、どんな問題の解決にも至らないという証拠が増えつつあるにもかかわらず、殺し続けているのだ。

たとえばコロラド州では、シカやヘラジカのあいだで慢性消耗病〔慢性の衰弱を主な症状とするシカの病気〕が拡大しているが、二〇〇一年に、その状況が続けば狩猟産業に悪影響が出るのを懸念したコロラド州野生生物局は、〔その論理を厳密に追うと〕ハンターが殺せる余地を残すために、より多くの個体が生き残れるよう、シカとヘラジカを殺すプログラムを開始した。しかし、二〇〇六年の地元の新聞の報道によれば、「慢性消耗病の拡大を防ぐために実施されたシカとヘラジカを殺すプログラムは、うまく機能していない」[*43]。残念なことに、この結論に達するまでに、二三〇〇頭が、このプログラムのためにすでに殺されていた。

同様の論理に従って、オオカミは多数のヘラジカを殺す捕食動物だから、ハンターが殺せる余地を残すために、オオカミを殺さなければならないと主張する者がいる。そもそも捕食する動物は捕食される動物と共進化してきたのであって、野生動物は自由に追跡して殺すことができる「私たちの動物」などではない。しかも、オオカミはシカ、ヘラジカ、およびその他の有蹄《ゆうてい》類の個体数をそれほど減少させているわけではないことが、研究によって判明している。さらに言えば、通常オオカミは、病弱な個体を殺すのに対し、ハンターはハンティング・トロフィーとして飾るために、子孫を残すべき立派で壮健な個体を探して殺そうとする。オオカミも家畜を守るために殺されてきたが、そもそも最後の一頭まで殺すのでなければ（これは実際に一九世紀の終わりまでに起こりそうだったが）、その努力は無駄に終わる。カナダ野生動物保護の会（Defenders of Wildlife Canada）の代表ジム・ピソットは、「オオカミの間引きには効果がないことがわかった。わが組織は、家畜を守るために牧場が払わねばならない費用を援助するために資金を集める努力を続けている」と述べている。[*44] 保全生物学者キム・マレー・バーガーは綿密な調査を実施し、政府が助成金を出している、コヨーテの間引きを含む捕食動物のコントロールプログラムが、養羊業の衰退を防止する役に立っていないと報告している。[*45]

野生動物を殺すことにいかなる短期的なメリットがあろうが、長期的な効果は見込めない。殺すのは簡単だが、それでは最終的な解決は得られないということだ。野生動物は進化によって獲得された行動様式に従い、人間の侵犯にも適応してきた。「害獣」や「迷惑動物」などの言葉は、私たちが勝手に作ったものにすぎない。野生動物との衝突を緩和するために、自分自身をコントロールし、「境界」を侵犯しないよう努めねばならないのは私たちのほうだ。他者を排除せず、平和共存を図ることは可能なのである。

私たちと彼らの共存、それとも私たちだけの繁栄？

人間の利害によって動物の利害がつねに無視されるのなら、私たちが現在直面している無数の複雑な問題は決して解決できないだろう。私たちは野生動物の生態を、最善を尽くして理解する必要がある。そして、倫理的な要請に従って、野生動物や飼育動物を研究する際、動物の生態にどんな影響が及ぶのかを、また、檻やかごに閉じ込められることで動物はいかなる影響を受けるのかを知らねばならない。それらを学べば学ぶほど、私たちは何かが起こってからではなく、起こる前に率先して行動できるようになるだろう。

　自然の秩序は破壊されやすい。だから私たちは、自然の健全さ、よさ、豊かさを破壊しないよう調和を保ちながらそれに働きかけねばならない。「私たち人間」対「彼ら動物」という分け隔ては、本来ありもしない対立を生む。それによって、どんな動物とのあいだにも結ぶことが可能な無数の関係を蝕《むしば》む懸隔が生じるのだ。動物に降りかかる運命は私たちの運命でもある。自然との親密な関係は、私たちの福祉と心の成長に重要な役割を果たす。そして、自分たちのニーズとは関係なく、動物の福祉をつねに尊重し、それに対して最善の配慮をする義務が私たちにはある。

　最近私は、イギリスの大学教授グレン・アルブレヒトの「ソラスタルジア（solastalgia）」という造語を知った[*46]。この言葉は「自分が暮らす場所とそれへの帰属感の変容と、それらの変化に対する悲しみの感情を経験することで引き起こされる苦痛」を意味する。他の存在との関係が蝕まれるとき、私たちはソラスタルジアを経験するのだ。

　私たちは人間至上主義的な立場をとって、人類も動物である事実を忘れやすい。人類は、他の動物と異なると同時に同じでもある。神学者スティーブン・シャーパーは、人間と動物の関係の研究に、「人間調和的（anthroharmonic）」なアプローチを適用することで、この矛盾を解決しようとしている。[*47] この見方は「人間の重要性を認識し、人間を基本にするが、中心とは見なさない」というものだ。私たちは皆、地球上でともに暮らしている。人間と動物は至上の仲間同士であり、互いを補完する。神学者トマス・ベリーは、同じことを少し違う言葉で表現している。彼によれば、いかなる個人も、感情と感覚能力の共有によって緊密な共同体の基礎が築かれる「諸主体の交流（communion of subjects）」のメンバーなのだ。そこでは誰も、客体や他者として扱われない。誰もが「私たち」の一員なのである。

動物の生態に何らかの影響を及ぼしているのかどうかが不確かな場合、動物に有利に解釈すべきである。あとで後悔するよりは、より安全な方策をとったほうがよい。多くの動物は苦痛を黙って耐え忍んでいる。私たちは、彼らの目を覗《のぞ》き込んだときに初めて、そのことを知るのだ。英国家畜福祉協議会によって一九七九年に提起された「動物福祉における五つの自由」は、それ以来動物の扱い方の基本ガイドとして先進各国で採用されてきた。[*48] 五つの自由とは、飢えと渇きからの自由、不快からの自由、正常な行動を表現する自由、恐れや困窮からの自由、痛み、負傷、疾病からの自由をいう。私たちは、動物と交流するあらゆる場面において、これらの自由を確保するよう努めるべきである。事実、「五つの自由」は、人間を含めたあらゆる動物が享受してしかるべき条件を定めたものなのだ。

個人の選択、責任

最初に彼らはあなたを無視し、次にあざけり、それからあなたに戦いを挑む。そしてあなたは勝利する。

――ガンジー*49

私たちは獲得した知識をどう利用すればよいのだろうか？　実際のところ私たちは、各人が自分で選択をして決定を下し、自らの行動に責任をとらなければならない。個人の責任は重要である。動物が直面している問題、そして動物を世話するにあたって自分たちが抱えなければならない問題には圧倒的なものがあり、私たちは、挫折し、途方に暮れ、無力を感じ、制度や企業、あるいは「社会」に責任をなすりつけ、自分の態度は変えようとしない、という次第になりがちだ。

何をすべきかをどうやって決定すればよいのだろうか？　簡潔に言えば、私は自分でさまざまな選択をし、思いやりを深め、残酷さを減らそうと努力している。もちろん完璧に実践できているとはとても言えないが、これらの目標は、私の日々の生活を動機づけている。たとえば、何が正しいかがよくわからないときには、その方針に従うよう努める。おもに科学者だが、誰かに挑戦するときには、「それと同じことを愛犬にもしますか？」と尋ねる。思いやりをもって行動すべきことを思い出させたいからだ。「己の欲する所を人に施せ」という黄金律を。

これは実践的には、あらゆる生物を等しく扱うことを意味する。まったく同じに扱うという意味ではなく、等しく生きる権利を持つものとして扱うのだ。黄金律は、人間、動物、木、植物、そして地球そのものにさえ適用される。同僚のジェシカ・ピアースが言うには、私たちは、もっと「慈悲（ruth）」、すなわち他者の苦痛を思いやる感情を必要としている。「慈悲」は、残酷さや哀れみの欠如を意味する無慈悲（ruthless）とは反対の態度を意味する。私はこの見方に同意する。動物、そしてその他のあらゆる生物との交流において、親切心と思いやりは、つねに最重要視されねばならない。与えることは、すぐれて受け取ることであるという点を忘れないようにしよう。

私の経験から言っても、この単純な要請を満たすのは簡単なことではない。それには恐れを克服する必要がある。慣習に逆らうことへの恐れ、オープンになることへの恐れ、あざけられることへの恐れ、補助金を失ったり同僚を怒らせたりすることへの恐れ、感覚能力のある動物にこれまで何をしてきたかを認めることへの恐れなどである。恐れの克服がむずかしいとわかると、私たちは気力を失わせる恥の感覚に麻痺することがある。だが、新たな機会は日々生じるという点を忘れてはならない。どんなに小さな行動であっても、思いやりの心をもって行動し、自分が正しいと思っていることを行なえば、たとえ（実際のものにせよ、思い込みにすぎなかったにせよ）自分の利益にはマイナスになったとしても、私たちは何かをなし遂げられるのだ。そして、何かを達成することこそが重要なのである。

二〇〇六年三月、私はボストンで開催されたＩＡＣＵＣの会合で講演し、暖かく受け入れられた。

痛みを感じ、さまざまな情動を経験する能力を持つ動物もいる事実を私たちは知っているはずだとする私の断固たる主張に、やや疑問を感じている聴衆もいたようだが、講演後の議論は友好的であった。講演後、ある著名な大学で動物保護法の実施責任者を務めているという人物が、私のところにやって来た。彼は、この法によって許可されている実験のなかには疑問を感じるものもあることを前から認めていた。私の講演を聴いて、その疑問がさらに深くなったのだそうだ。現在の法の基準をより厳しく適用し、もっと厳格な基準を考慮したいとのことだった。目は真剣そのものだった。そして、そのような彼の決定を研究者は喜ばないであろうことをよく理解していた。いずれにしても、「実験動物は苦しんでいる」「動物保護法はそれらの動物を保護できていない」という自分の直観を、誰かに確証してもらいたかったのだそうだ。その言葉に感動した私は、彼に感謝した。すると彼は、お辞儀をしながら「ありがとうございました」と言って立ち去って行った。

楽観主義者の私は、努力、勤勉、勇気をもってすれば、これまで私たちが動物に対してなしてきた数々の悪行を正せると信じている。規模の大小を問わず、さまざまな方法で動物の暮らしを向上させようと努力しているすばらしい人々が大勢いる。公的なものもあれば個人的なものもあるが、それらの努力を合わせれば、すべての生物が愛情と思いやりに満ちた環境で暮らせる、平和な世界を実現できるはずだ。そのような、愛情と思いやりと敬意の念にあふれた世界が、私たち自身が生き、自分たちの子どもを育てる環境として、よりすぐれているということを否定する者などいないだろう。私たちは将来を見据えながら生きていかねばならない。夢は自らの努力で実現すべきものなのだ。

そのためには、世界を住みやすい場所にするために自分に何ができるかを考えてみる必要がある。そして、動物の暮らしを向上させるために何が貢献できるのかを。誰もいないときにそうしてみよう。同僚からの、あるいはその他のプレッシャーがかからないところで、自分の習慣や行動を深く評価してみよう。自分の真の姿を顧みるのには、つねに真剣さが要求される。現在の自分の行動が動物にどんな影響を与えているのか、そして、動物の福祉を改善するためにどんなことを、これまで以上にできるかを真剣に考えてみるのだ。自分の能力ではどうしようもない状況に置かれたとしても、故意か故意でないかを問わず非人道的な扱いを受けているあらゆる動物たちに対して、つねに謝罪する気持ちを持てるのではないか。思いやりの心を持つだけでも、苦痛を感じながら生きている者たちの悲惨な生活にポジティブな効果をもたらせると、私は信じている。社会を改善するにあたって、沈黙は敵なのだ。

野生の環境において、そして私たちの社会において、それぞれの動物がどのような立場に置かれて、どんな役割を果たしているのかを、全力を尽くして評価し正しく理解しなければならない。私たちは、思いやりのある人道的な選択をしなければならないからだ。[*50] 動物との親密で互恵的な関係に心を開くことに恐れを抱く必要は何もないし、それによって得られるものは大きい。事実私は、責任、思いやり、ケア、赦し、深い友情や愛情の価値など、動物に多くのことを教えられた。動物は寛大にも私たちと心を分かちあってくれる。私のほうでもそうしたいと思っている。人間は感じることのできる情熱的な存在であるがゆえに、動物は私たちに応えてくれるのであり、また同じ理由で私たちも動物を抱擁しようとするのだ。

情動は私たちの祖先からの贈り物であり、人間も動物もそれを受け取っているのだ。このことを絶対に忘れないようにしよう。

謝辞

これまでさまざまな状況のもとで、幸運にもめぐりあうことのできたすばらしき動物たちにまず感謝の言葉を述べたい。三五年以上前のことだが、野生の動物たちの視点や情動を理解したいと決心した私は、生活と情熱を進んで分かちあおうとする彼ら動物たちに大いに助けられた。モーゼズ、ミシュカ、イヌーク、サーシャ、ジェスロ、ゼケ、マディ、スーキー、ウィリー、スクラップ、マックス、トソを始めとするイヌの仲間たちは、彼らの感情について話しかける私に辛抱強く聞き入り、私をよりすぐれたイヌにしてくれた。

ジャン・ナイストローム、ヤーク・パンクセップ、ジェシカ・ピアース、マイケル・トバイアス、ナンシー・マクローリンの諸氏からは、本書のさまざまなセクションについてコメントしていただいた。彼ら、およびコリン・アレン、ジョナサン・バルコム、イアン・ダグラス＝ハミルトン、マイケル・W・フォックス、ジェーン・グドール、ロリ・グルエン、デイル・ジェイミソン、メアリー・ミッジリー、シンシア・モス、ジル・ロビンソン、スー・タウンゼントは、動物の情動とその重要性に対する私の考え方に大きな影響を及ぼした。私は、彼らからさまざまなことを学ぶことができた。ジム・マクローリンは、魚が「食品タンパクの供給源」だとする見方に警戒するよう教えてくれた。

ジル・ロビンソン、ベッツィ・ウェブ、ミム・リーヴァス・アイクラー、マイケル・トバイアス、セアン・ランバート、ルイス・ドーフマン、スコット・コールマン、マーティ・ベッカーの諸氏とは、本書に取り上げたストーリーを分かちあってきた。ジム&ジェイミー・ダッチャーは、寛大にもカバーの写真を提供してくれた。彼らが運営する非営利組織“Living with Wolves”（www.livingwithwolves.org）は、教育面、とりわけオオカミやその他の捕食動物に関する危険な神話や誤解を払拭することに貢献している。

タンザニアで私のガイドを務めてくれたボニファス・ザカリアが、セレンゲティ国立公園のなかを時速二五キロメートルで走行中に、草の葉に小さなカメレオンが取りついているのを見つけたとき（私はと言えば、一五センチほどの距離まで近づいてやっと見分けることができた）、動物の行動を観察する際、いくら自分には鋭い観察眼が備わっていると自負していたとしても、さらには自分のしていることに十分に注意を払っていたとしても、細部を見逃している可能性があることを、私は十分に認識することができた。このことを教えてくれたボニファスに感謝する。

本書の版元New World Libraryのクリステン・キャッシュマンは、本書の完成に大いに力になってくれた。モニーク・ミューレンカンプには、世界各地を車で、飛行機で、船で、そして鉄道で旅する際、広報面に関して惜しみない力添えをしていただいた。ジェフ・キャンベルは原稿整理に大きな貢献をしてくれ、また私の編集者ジェイソン・ガードナーはとても忍耐強く親切に接してくれた。彼は、通常の業務の範囲を超えて、ジェフが仕事に取り掛かるまで、本書の初期の草稿を整理しまとめてくれた。彼らとの仕事は、ほんとうに楽しかった。

訳者あとがき

わが家では十姉妹《じゅうしまつ》を飼っている。十姉妹は鳥のなかでももっとも小さな部類に属し、尻尾を除けば手のひらにすっぽりと包み込めるくらいの大きさしかない。それでも、部屋のなかで放鳥したあと、カゴに戻そうとして何かのはずみで強く握りすぎたりすると、普段は絶対に発しない「ギュイー」というつぶれた鳴き声をしぼりだすことがある。そう、手のひらにおさまり切るほど小さな十姉妹が、明らかに苦痛を感じているのだ。鳥は基本的に表情を変えないが、声に関しては多彩な表現が見られ、彼らが苦痛を感じていることは、それを聞く側の情動や共感の能力に問題がない限り、はっきりとわかる。

ところで訳者は、ヴィクトリア・ブレイスウェイト著『魚は痛みを感じるか？』（紀伊國屋書店、二〇一二年）を邦訳したが、この本はタイトルが示すように魚が痛みを感じているか否かを問う。魚は表情を変えないどころか、人間の耳に聞こえる鳴き声すらたてない。では、どうすれば魚が痛みを感じているかどうかを判定できるのか？　魚に心があったとして、その内容（クオリア）を人間が主観的に把握することは土台不可能だ。それは、何も魚に限った話ではなく、哺乳類にしろ、あるいは人間同士ですら他者の内面的なクオリアを直接体験することなどできない。では、どうやって判定すればよいのか？　一つは人間が痛みを感じる際に活性化する脳の器官と類似の器官を魚も備えているかどうかを調査することによってだが、もう一つは人間が痛みを感じるような特定の刺激を与えたときに、魚が行動を変えるかどうかを観察することによってである。もしそのような刺激によって魚が通常の行動を変えるとすれば、痛みと呼べるかどうかは別として、それは魚が何らかの不快な感情を経験している可能性が高いことを示唆する。そしてさまざまな実験の結果、著者は「魚は痛みを感じている」という結論を引き出す。

魚が痛みを感じているのなら、魚よりも賢いはずだと私たちが考えている哺乳類などの動物が痛み（やその他の情動、感情）を感じていないはずはない。その点を明確にするのが本書『動物たちの心の科学』であり、その主題は、鳥類や魚類に限らず、また痛みに限らず、動物は情動（emotion）や感情（feeling）を経験しているというものだ（「情動」と「感情」の意味は、分野によって、あるいは同じ分野でも研究者によってかなり異なる場合があるが、本書の著者の定義については第1章を参照されたい）。またその根拠として、ミラーニューロンや進化論などの構造的、生物学的な説明もあげられているが（第2、5章）、さらに重要なことに、著者自身やその他の研究者が実験室で、そしてとりわけ野外で実施した動物の行動様式の観察（認知動物行動学）を通して得た知識が豊富に提示されている（第2、3、4章）。

しかし、動物の情動を調査研究するにあたってのもっとも大きな障害は、「情動そのものは、客観的なデータとして定量化できない」という点である。だから先の魚の研究では、行動様式の変化を指標にするという間接的な方法がおもに採用されていたのだ。『動物たちの心の科学』がユニークなのは、さらに大胆に、観察をベースとしながら（すなわちまったくの主観的な記述に陥るのを回避しながら）も、三人称的（客観的）ではなく、共感力に依拠する一人称的（主観的）な観点を重視し、従来は忌避されていた、逸話（Anecdote）、類推（Analogy）、擬人化（Anthropomorphism）という三つのAの積極的な利用を提案している点だ（おもに第5章）。日本（あるいは欧米でも、現象学などの伝統がある大陸ヨーロッパ）では事情が異なるのかもしれないが、このような見方、あるいはそもそも動物の情動を研究対象として取り上げることは、とりわけ客観的な実証を第一とする英米では、無視あるいは拒絶されてきたいきさつがある。このような事情は、「まえがき」で動物行動学者のジェーン・グドールが雄弁に語っている。

しかしこの傾向は最近になって、進化生物学の発展などとともに変わりつつある。というのも、進化論的な自然選択という観点から見た場合、闘争・逃走反応など、情動が個体の生存に重要な役割を果たしていることが明らかになりつつあり、また「情動は何もないところから突然に発生するのではなく、ある一定の文脈のもとで生じ、原因や結果を伴う。ストーリーを語るとは、まさにそれらを正しく記述することだ」（第5章）と著者が主張するように、情動を対象に研究を行なうためには必須の手段として、一人称的な観点が要請されるからだ。

そして著者は、最終的に、というよりも動物に情動能力を認めることの必然的な帰結として、実験室、畜産場、動物園、そして自然環境（野生）における動物の福祉の問題を取り上げる（第6章）。これに関して圧巻なのは「不安や退屈を感じている動物を対象に得られた情報は、同種の個体の正常時の行動を理解するのにあまり役立たない」「動物の福祉に留意し、それに何が必要なのかを正しく把握する努力によって、同時に科学研究の質の向上がもたらされる」（第6章）などの主張からもわかるとおり、動物の研究において科学の客観性を保つためには、つまり科学たるための必要条件を満たすためには、まさしく情動を考慮に入れ、さらにそのためには、動物に対する配慮が不可欠だということが指摘されている点である。

このように述べると、本書は動物の研究方法に関する問題提起に終始する専門書であるように聞こえるかもしれないが、そうではない。もちろんその側面もないわけではないが（ことに第5章）、ストーリーを重視する著者の方法によって、一般の読者が読んでもきわめて面白く、かつ読み易い本に仕上がっている。さらに言えば、とりわけ第6章で取り上げられている動物の福祉の問題は、研究者や動物園の管理者のみならず、われわれ一人一人が考えていかなければならないものでもある。

＊

ここで簡単に参考図書を二、三あげておく。本書第3章で取り上げられているように、動物が経験している情動は何も痛みや苦しみなどのネガティブなものに限られるわけではなく、それには愛情やや喜びなどポジティブなものも含まれる。この点に関して是非推薦しておきたいのが、本書にも言及がある動物行動学者ジョナサン・バルコムが著した*The Exultant Ark*（University of California Press, 2011）だ。現在のところ邦訳は出ていないが、動物が喜びを表現するところを撮った豪華なカラー写真がふんだんに挿入されており、文章を読まずとも十分に楽しめ、それと同時に「動物は喜びを表現する能力を持つ」という事実を、ゴージャスなビジュアルを通してまさに一人称的に理解できるはずである。またこの一人称的観点に関しては、古典的なところでは、ヤーコプ・フォン・ユクスキュル、ゲオルク・クリサート著『生物から見た世界』（日高敏隆、羽田節子訳、岩波書店、二〇〇五年）を、また新しいものでは、これまた本書にも登場するアレクサンドラ・ホロウィッツの『犬から見た世界――その目で耳で鼻で感じていること』（竹内和世訳、白揚社、二〇一二年）を推薦する。またベコフの著書で、本書よりあとに刊行されたジェシカ・ピアース（彼女も本書に登場する）との共著*Wild Justice*（University of Chicago Press, 2009）では、おもに本書の第4章の内容（動物における道徳や公正の感覚）が発展拡張されているので参考にされたい。既に邦訳されているベコフの著書には、『動物の命は人間より軽いのか――世界最先端の動物保護思想』（藤原英司、辺見栄訳、中央公論新社、二〇〇五年）がある。なお本書にまえがきを寄せているジェーン・グドールに関しては、共著も含め、邦訳が何冊か出ている。

つけ加えておくと、本書カバー写真は非営利組織〝Living with Wolves〟のジム＆ジェイミー・ダッチャーの提供によるものだが、この組織のホームページ（www.livingwithwolves.org）には、オオカミの情動や行動（プレイを含む）に関する数々の写真が掲載されているので、ぜひ参照されたい。

＊

最後に、唐突な提案であったにもかかわらず、本書の刊行を決定し、のみならず迅速に出版してくだった青土社、および同社編集者、渡辺和貴さんに感謝の言葉を述べたい。

二〇一四年一月

高橋　洋

索引

あ行

愛情　92-93, 126-127, 130, 134-136
アカギツネ　027, 044, 117, 160
アカゲザル　040, 137, 212, 236
遊び　075, 102, 105, 106, 144, 149-150, 153-154, 159, 160-161, 162-163, 164-169, 170, 171-173, 175, 178, 180-181
アナロジー　077, 186
アレックス（ヨウム）　139
怒り　033, 036, 038, 045, 138-139, 143
イグアナ　077
一次情動　034-036, 038
逸話　186, 198-200, 201-202
イヌ　037, 039, 044-045, 046-047, 051, 052, 070, 072, 074-076, 081-082, 089, 091, 094, 106, 134-136, 145, 154, 156-157, 168, 171-172, 224
畏怖　113
イルカ　043, 048, 102, 130, 235
インコ　110-112
ヴァール、フランス・ドゥ　149
ウィルソン、デイヴィッド・スローン　181
ウシ　102, 241
ウマ　109-110
fMRI（機能的磁気共鳴画像法）　128, 163, 236
オオカミ　044, 089, 091, 096, 102, 123-124, 145, 168-169, 172, 254-255
オランウータン　251

か行

カササギ　026-027
悲しみ　033, 038, 045, 051, 077, 115-116, 123-124, 130
カーミングシグナル　162
感謝　099-100
感情の定義　033
寛容　181
擬人化　038, 100, 186, 201-205, 206-209, 213
キヌザル　128, 234
きまりの悪さ　033, 136-138
求愛　127-129
共感　039-041, 044, 047-048, 150-151, 211-212
協力　150-151, 154, 159, 163, 170, 177-180
魚類　049, 056, 077, 094, 129
キリン　138, 246
クジラ　099-100, 128
グドール、ジェーン　063, 106, 113-114, 137, 156, 204
クマ　039-040, 060-062, 108, 160
グリフィン、ドナルド・R　067
グールド、スティーブン・ジェイ　205
げっ歯類　040-041
倦怠　232-234
公正　151, 153-154, 163, 168-169, 170, 171-172, 180
幸福　033, 045, 094, 102, 205
コヨーテ　089, 102, 144-145, 167, 172-173, 249-250, 254, 256
ゴリラ　118-119, 178

さ行

菜食主義　240-242
自然選択　035, 038, 075, 079, 173, 175, 199
情動エンリッチメント　250-251
情動の定義　032-033
シンガー、ピーター　241
神経化学物質　072, 106, 138
生存競争　140, 143, 151
セルフ・ハンディキャッピング　167-169, 170, 175
ゾウ　028-029, 034, 043-044, 077, 082-084, 092-093, 102, 116, 121-122, 131, 145, 206-208, 236, 247-248, 252

た行

ダーウィン、チャールズ　033, 035, 069-072, 087, 094, 101, 150, 174
ダグラス＝ハミルトン、イアン　029, 121
タコ　096, 139
ダマシオ、アントニオ　033
ダライ・ラマ　176, 194-196
チンパンジー　043-044, 062-063, 097, 101, 106, 113-114, 129, 137, 143, 160, 166, 204, 212, 225
ティンバーゲン、ニコ　073, 076, 145
適者生存　150, 177, 179
道徳（性）　149-151, 152-153, 155-157, 172, 174-175, 180-182
動物園　206-207, 242-248, 250-253
動物保護法　041, 224-225

な行

におい　035, 080, 081-082, 090, 092-093, 211
二次情動　036, 039
ニワトリ　102, 239
認知動物行動学　067-069, 186, 194-196
ネコ　039, 046, 051, 052, 091, 098, 160, 224
脳　035-036, 044, 071-072, 077, 106, 116, 127, 138, 145, 163, 169, 175, 213, 234, 235-237

は行

ハイエナ　140
爬虫類　077-078, 094
バルコム、ジョナサン　103-104
パンクセップ、ヤーク　106-107, 163
非侵襲的な調査　082, 083, 230, 235-236
PTSD（心的外傷後ストレス障害）　116, 145
ヒヒ　119-120, 141-143
表情　070-071, 091, 094, 097, 211
フェアプレイ　160, 172, 182
福祉（動物の）　218, 230, 233, 245-246, 258
ブタ　091, 166, 226-227, 239
フリッシュ、カール・フォン　073, 076
プール、ジョイス　034, 077
プレイバウ　075-076, 078, 089, 154, 160, 164-167
ペット　046, 051, 052-053
PET（ポジトロン断層法）　236-237
哺乳類　093, 094, 129, 140, 175
ホロウィッツ、アレクサンドラ　038, 171

ま行

埋葬　117-118, 121-122
マウス　038, 040-042, 044, 224-225, 226
マクリーン、ポール　035
ミラーニューロン　162, 210-212, 236
モス、シンシア　121-122, 131, 193

や行

野外調査　078, 080, 082, 172, 175
役割交替　169, 175

野生動物　047, 233, 243, 253-256
ユーモア　107-112
喜び　038, 044, 051, 072-073, 101-107, 162-163

ら・わ行

ライオン　047-048
ラット　039, 068, 105-107, 160, 163, 168, 224-225
ラバ　133-134
ロバ　116
ローレンツ、コンラート　037, 073, 075-076, 203
笑い　106-107

註

本セクションは、本書執筆にあたって参考にした資料を一覧する。専門的な論文の要約を掲載するウェブサイトもあげておいた。これらに関しては、動物の倫理的な取扱いに関する組織EETA（Ethologists for the Ethical Treatment of Animals）のウェブサイト（www.ethologicalethics.org）も参照されたい。

まえがき

ジェーン・グドール研究所についての詳細は、www.janegoodall.orgを参照されたい。

第1章

＊1　パトリシア・マコネル（Patricia McConnell）も次の著書のなかで同じことを指摘している。*For the Love of a Dog: Understanding Emotion in You and Your Friend* (New York: Ballantine Books, 2006).

＊2　Reuters, "Indians Flee as Elephants Search for Dead Friend," Planet Ark, October 11, 2006, http://www.planetark.com/dailynewsstory.cfm/newsid/38452/story.html

＊3　情動に関するものも含め、ダーウィンの全業績は次のウェブサイトで参照できる。http://darwin-online.org.uk/.

＊4　Joyce Poole, "An Exploration of a Commonality Between Ourselves and Elephants," *Etica & Animali* (September 1998): 85-110.

＊5　Konrad Lorenz, *Man Meets Dog* (New York: Routledge, 1954/2002).（コンラート・ローレンツ『人イヌにあう』、小原秀雄訳、ハヤカワ・ノンフィクション文庫、2009年）。

＊6　Alexandra C. Horowitz and Marc Bekoff, "Naturalizing Anthropomorphism: Behavioral Prompts to Our Humanizing of Animals," *Anthrozoös* (2007).

＊7　J. P. Webster, P. H. L. Lamberton, C. A. Donnelly, and E. F. Torrey, "Parasites as Causative Agents of Human Affective Disorders? The Impact of Anti-psychotic, Mood-stabilizer and Anti-parasite Medication on *Toxoplasma gondii*'s Ability to Alter Host Behaviour," *Proceedings of the Royal Society of London, Series B: Biological Sciences* 273 (2006): 1023-1030; "Antipsychotic Drug Lessens Sick Rats' Suicidal Tendencies," *New Scientist* 2536 (January 28, 2006), http://www.newscientist.com/channel/health/mg18925365.000.html.

＊8　Doug O'Harra, "Russian River Orphans Stick Together," *Anchorage Daily News*,

September 23, 2005, http://www.adn.com/news/alaska/story/ 7002282p6903756c.html.
＊9 "The Depths of Feeling," *BBC Wildlife*, July 2002, http://ww.bbc.co.uk/nature/animals/features/246index.shtml.
＊10 S. Wechlin, J. H. Masserman, and W. Terris Jr., "Shock to a Conspecific as an Aversive Stimulus," *Psychonomic Science* 1 (1964): 17-18.
＊11 D. J. Langford et al., "Social Modulation of Pain as Evidence for Empathy in Mice," *Science* 312 (2006): 1967-1970; Ishani Ganguli, "Mice Show Evidence of Empathy," *The Scientist*, June 30, 2006, http://www.thescientist.com/news/display/23764/#23829.
＊12 これらのストーリーを知った理由の１つは、私が、ジェーン・グドールと創設した組織 EETA のウェブサイトを管理しているからである。この組織については次のウェブサイトを訪問されたい。www.ethologicalethics.org.
＊13 Dale Jamieson, "Science, Knowledge, and Animal Minds," *Proceedings of the Aristotelian Society* 98 (1998): 79-102.
＊14 研究者の目から見て、ゾウが「自己意識」を持つ動物としてチンパンジーやイルカの仲間に加えられるようになったのは、最近のことにすぎない。次の論文を参照されたい。Andrew Bridges, "Mirror Test Implies Elephants Self-Aware," *Associated Press*, October 31, 2006; Joshua Plotnick, Frans de Waal, and Diana Reiss, "Self-recognition in an Asian Elephant," *Proceedings of the National Academy of Sciences* 45 (November 7, 2006).
＊15 脳の相対的な大きさに関しては、次のウェブサイトを参照されたい。 http://serendip.brynmawr.edu/bb/kinser/Int3.html.
＊16 Daniel Gilbert, *Stumbling on Happiness* (New York: Alfred A. Knopf, 2006): 4.（ダニエル・ギルバート『明日の幸せを科学する』、熊谷淳子訳、ハヤカワ・ノンフィクション文庫、2013 年）。
＊17 Gerald Hüther, *The Compassionate Brain: How Empathy Creates Intelligence* (Boston: Trumpeter, 2006): 114.
＊18 Ed Sussman, "AHA: Cardio, the Canine Heart Dog, Is a Friend Indeed," *MedPage Today*, November 17, 2005, http://www.medpagetoday.com/Psychiatry/AnxietyStress/tb/2166.
＊19 Anthony Mitchell, "Three Lions Save Girl, 12, from Kidnap Gang," *The Scotsman*, June 22, 2005, http://news.scotsman.com/international.cfm?id=684912005.
＊20 Reuters, "Dolphins Protect Swimmers from Sharks," *MSNBC*, November 23, 2004, http://www.msnbc.msn.com/id/6565810/?GT1=5809.
＊21 Saba Douglas-Hamilton, "Heart of a Lioness," January 2002, http://www.douglas-hamilton.com/films/lioness/index.htm.
＊22 Associated Press, "Hamster, Snake Best Friends at Tokyo Zoo," *MSNBC*,

January 24, 2006, http://www.msnbc.msn.com/id/10903211/.

＊23　JoNel Aleccia, "Friendship at the Water's Edge," *Ottaway Mail Tribune*, May 2001, http://www.mailtribune.com/archive/2001/may/053101n2.htm.

＊24　人間と動物の関係を探究する "anthrozoology" と呼ばれる分野すら存在する。詳細は次の ISAZ（International Society for Anthrozoology）のウェブサイトを参照されたい。www.vetmed.ucdavis.edu/CCAB/isaz.htm.

＊25　アメリカの家庭におけるペットの飼育状況については、次のウェブサイトを参照した。www.appma.org/press_industrytrends.asp、www.hsus.org/pets/issues_affecting_our_pets/pet_overpopulation_and_ownership_statistics/us_pet_ownership_statistics.html.

＊26　ルーツ＆シューツについては次のウェブサイトを参照されたい。www.rootsandshoots.org.

＊27　R. J. Dolan, "Emotion, Cognition, and Behavior," *Science* 298 (2002):1191-1194.

＊28　ジャスパーのストーリーは、ジル・ロビンソン（Jill Robinson）との私信に基づく。

＊29　P. W. Biederman, "Soft Under Her Thick Skin?" *Los Angeles Times*, November 16, 2004; この記事は、次のウェブサイトで参照できる。www.ethologicalethics.org.

＊30　パブロのストーリーは、J・ダグニーズ（J. D'Agnese）による次の記事を参照した。"An Embarrassment of Chimpanzees," *Discover* (May 2002): 42-49.

第2章

＊1　Michael Tobias and Jane Morrison, *Donkey: The Mystique of Equus asinus* (Tulsa, OK: Council Oak Books, 2006).

＊2　Nicholas Wade, "Rats in a Maze Take a Moment to Remember, But in Reverse," *New York Times*, February 14, 2006, http://www.nytimes.com/2006/02/14/science/14rats.html?ex=1297573200&en=dda62d91599ce98a&ei=5088&partner=rssnyt&emc=rss.

＊3　Charles Darwin, *The Expression of the Emotions in Man and Animals*, third edition (New York: Oxford University Press, 1872/1998): 58.（ダーウィン『人及び動物の表情について』、浜中浜太郎訳、岩波文庫、1931年）。

＊4　Charles Darwin, *The Descent of Man and Selection in Relation to Sex* (New York: Random House, 1871/1936): 66.（チャールズ・R. ダーウィン『人間の進化と性淘汰』（ダーウィン著作集1-2）、長谷川眞理子訳、文一総合出版、1999-2000年）。

＊5　これら（およびその他）の動物行動学者については、次の書籍を参照されたい。Richard W. Burkhardt Jr., *Patterns of Behavior: Konrad Lorenz, Niko Tinbergen, and the Founding of Ethology* (Chicago: University of Chicago Press, 2005); Hans Kruuk, *Niko's Nature: The Life of Niko Tinbergen and His Science of Animal Behavior* (New York: Oxford University Press, 2004); I. Eibl-Eibesfeldt, *Ethology*

(New York: Holt, Rinehart, & Winston, 1975).
＊6　Michel Cabanac, "Emotion and Phylogeny," *Journal of Consciousness Studies* 6 (1999): 176-190.

第3章

＊1　Jane Goodall and Ray Greek, "The Sad Lot of Lab Chimps," *Boston Globe*, February 17, 2006, http://www.boston.com/globe/editorial_opinion/oped/articles/2006/02/17/the_sad_lot_of_lab_chimps/
＊2　ゴスリングの研究の詳細は次の論文を参照されたい。Sam Gosling, "From Mice to Men: What Can We Learn about Personality from Animal Research?" *Psychological Bulletin* 127 (2001): 45-86; Sam Gosling and O. P. John, "Personality Dimensions in Non-human Animals: A Cross-species Review," *Current Directions in Psychological Science* 8 (1999): 69-75; Sam Gosling, P. J. Rentfrow, and W. B. Swann Jr., "A Very Brief Measure of the Big Five Personality Domains," *Journal of Research in Personality* 37 (2003): 504-528; Sam Gosling and S. Vazire, "Are We Barking Up the Right Tree? Evaluating a Comparative Approach to Personality," *Journal of Research in Personality* 36 (2002): 607-614.
＊3　フランソワーズ・ウィメルスフェルダーらの研究については、次の論文を参照されたい。Françoise Wemelsfelder, E. A. Hunter, M. T. Mendl, and A. B. Lawrence, "The Spontaneous Qualitative Assessment of Behavioural Expressions in Pigs: First Explorations of a Novel Methodology for Integrative Animal Welfare Measurement," *Applied Animal Behaviour Science* 67 (2000): 193-215; Françoise Wemelsfelder and A. B. Lawrence, "Qualitative Assessment of Animal Behaviour as an On-farm Welfare-monitoring Tool," *Acta Agriculturae Scandinavica* 30 (2001): 21-25 (supplement); Françoise Wemelsfelder and M. Farish, "Qualitative Categories for the Interpretation of Sheep Welfare: A Review," *Animal Welfare* 13 (2004): 261-268.
＊4　Françoise Wemelsfelder, E. A. Hunter, M. T. Mendl, and A. B. Lawrence, "Assessing the 'Whole Animal': A Free-Choice-Profiling Approach," *Animal Behaviour* 62 (2001): 209-220.
＊5　専門家ではない観察者が、オオカミの友好的なやり取りと闘争をうまく見分けられることについては、次の研究を参照されたい。R. E. Anderson, J. Ryon, and J. C. Fentress, "Human Perception of Friendly and Agonistic Wolf Interactions," *Aggressive Behavior* 17 (1991): 58.
＊6　"The Word: Musth," *New Scientist*, February 11, 2006, http://www.newscientist.com/channel/sex/mg18925381.900.html;jsessionid=OEMHPOFBBJLN.
＊7　"Mona Lisa 'Happy', Computer Finds," *BBC News*, December 15, 2005, http://news.bbc.co.uk/1/hi/entertainment/4530650.stm; Associated Press, "Was Mona

Lisa Pregnant When She Posed?," *MSNBC*, September 27, 2006, http://www.msnbc.msn.com/id/15029288/.

＊8　M. J. Owens and D. Owens, *Secrets of the Savanna* (Boston: Houghton Mifflin, 2006): 2.

＊9　Alice Walker, "Am I Blue?" in *Living by the Word* (New York: Harcourt Brace Jovanovich, 1988): 8.

＊10　Doug Smith, "Meet Five, Nine, and Fourteen, Yellowstone's Heroine Wolves," *Wildlife Conservation* (February 2005): 33.

＊11　Charles Siebert, "The Animal Self," *New York Times Magazine*, January 22, 2006, http://www.nytimes.com/2006/01/22/magazine/22animal.html?ex=1161662400&en=0e4659dbbfad212e&ei=5070.

＊12　リック・スウォープとジョジョのストーリーについては次の書籍を参照されたい。Jane Goodall, *Reason for Hope: A Spiritual Journey* (New York: Warner Books, 2000).（ジェーン・グドール、フィリップ・バーマン『森の旅人』、松沢哲郎監訳、上野圭一訳、角川書店、2000 年）。および Jane Goodall, "Essays on Science and Society," *Science* 5397 (December 18, 1998): 2184-2185, http://www.sciencemag.org/cgi/content/full/282/5397/2184?ck=nck.

＊13　このストーリーは次の雑誌に掲載されている。*Boulder Camera*, February 1, 2005.

＊14　P. Vuilleumier, "Staring Fear in the Face," *Nature* 433 (2005): 22-23.

＊15　Peter Fimrite, "Daring Rescue of Whale off Farallones," *San Francisco Chronicle*, December 14, 2005, http://www.sfgate.com/cgi-bin/article.cgi?f=/c/a/2005/12/14/MNGNKG7Q0V1.DTL.

＊16　Anita Bartholomew, "Whale of a Rescue," *Reader's Digest*, May 2006, http://www.rd.com/content/openContent.do?contentId=26512.

＊17　Daniel Goleman, *Destructive Emotions: A Scientific Dialogue with the Dalai Lama* (New York: Bantam, 2004): 200.

＊18　Douglas Starr, "Animal Passions," *Psychology Today* (March/April 2006): 98.

＊19　Rosamund Young, *The Secret Life of Cows* (Preston, UK: Farming Books and Videos Ltd. Preston, 2005).

＊20　このストーリーと次のウオガラスのストーリーは、次の書籍から引用した。Jonathan Balcombe, "Animal Pleasure," in *Encyclopedia of Animal Behavior*, ed. Marc Bekoff (Westport, CT: Greenwood Publishing Group, 2004): 563-565.

＊21　Jonathan Leake, "The Secret Life of Moody Cows," *The Sunday Times*, February 27, 2005, http://www.timesonline.co.uk/article/0,,2087-1502933,00.html.

＊22　Steve Siviy, "Neurobiological Substrates of Play Behavior: Glimpses into the Structure and Function of Mammalian Playfulness," in *Animal Play: Evolutionary, Comparative, and Ecological Perspectives*, eds. Marc Bekoff and J. A. Byers (New

York: Cambridge University Press, 1998): 221-242.
＊23 P. Gorner, "Animals Enjoy Good Laugh Too, Scientists Say," *Chicago Tribune*, April 1, 2005. および "Sounds of Dog's 'Laugh' Calms Other Pooches," *ABC News*, December 4, 2005, http://www.abcnews.go.com/GMA/Health/story?id=1370911.
＊24 Takahisa Matsusaka, "When Does Play Panting Occur During Social Play in Wild Chimpanzees?" *Primates* 45 (2004): 221-229.
＊25 Jaak Panksepp, "Beyond a Joke: From Animal Laughter to Human Joy," *Science* 308 (2005): 62-63.
＊26 Robert Provine, *Laughter: A Scientific Investigation* (New York: Penguin Books, 2001).
＊27 Jane Goodall, "Primate Spirituality," in *The Encyclopedia of Religion and Nature*, ed. B. Taylor (New York: Thoemmes Continuum, 2005): 1303-1306.
＊28 Doug Smith, "Meet Five, Nine, and Fourteen, Yellowstone's Heroine Wolves," *Wildlife Conservation* (February 2005): 32.
＊29 Janet Baker-Carr, *An Extravagance of Donkeys* (iUniverse, Inc., 2006).
＊30 C. Siebert, "An Elephant Crackup?" *New York Times Magazine*, October 8, 2006, 42, http://www.nytimes.com/2006/10/08/magazine/08elephant.html?ex=1161748800&en=c09919d33b237459&ei=5070. および G. A. Bradshaw, A. N. Schore, J. L. Brown, J. Poole, and C. Moss, "Elephant Breakdown," *Nature* 433 (2005): 807.
＊31 Janet Spittler, "Gorilla Religiosus," the Martin Marty Center, University of Chicago, March 3, 2005, http://marty-center.uchicago.edu/sightings/archive_2005/0303.shtml.
＊32 A. E. Engh et al., "Behavioural and Hormonal Responses to Predation in Female Chacma Baboons (*Papio hamadryas ursinus*)," *Proceedings of the Royal Society of London: Biological Sciences Series B: Biological Sciences*, 273 (2006): 707-712. および "Baboons in Mourning Seek Comfort among Friends," University of Pennsylvania, January 30, 2006, http://www.upenn.edu/pennnews/article.php?id=902.
＊33 この引用、および次の引用は、シンシア・モスの次の著書からのものである。Cynthia Moss, *Elephant Memories: Thirteen Years in the Life of an Elephant Family* (Chicago: University of Chicago Press, 2000).
＊34 Iain Douglas-Hamilton, S. Bhalla, George Wittemyer, and F. Vollrath, "Behavioural Reactions of Elephants Towards a Dying and Deceased Matriarch," *Applied Animal Behaviour Science* 100 (2006): 87-102.
＊35 Karen McComb. L. Baker. and C. Moss. "African Elephants Show High Levels of Interest in the Skulls and Ivory of Their Own Species," *Biology Letters (The Royal Society)* 2 (2006): 26-28. および John Pickrell, "Elephants Show Special Interest in Their Dead," *National Geographic News*, October 31, 2005, http://news.

nationalgeographic.com/news/2005/10/1031_051031_elephantbones.html.
＊36 Louis Dorfman, "The Truth About Animal Emotions," Lois Dorfman.com http://louisdorfman.com/truth_emotions.php.
＊37 Jim and Jamie Dutcher, *Wolves at Our Door* (New York: Pocket Books, 2002).
＊38 "Monkey Love: Male Marmosets Think Highly of Sex," *Science News*, February 21, 2004, http://www.sciencenews.org/articles/20040221/fob5ref.asp. および C. F. Ferris, C.T. Snowdon et al. "Activation of Neural Pathways Associated with Sexual Arousal in Non-human Primates," *Journal of Magnetic Resonance Imaging* 19 (2004): 168-175.
＊39 Bernd Würsig, "Leviathan Lust and Love," in *The Smile of a Dolphin: Remarkable Accounts of Animal Emotions*, ed. Marc Bekoff (New York: Random House/Discovery Books, 2000): 62-65.
＊40 Lee Dugatkin, "Risking It All for Love," in *The Smile of a Dolphin: Remarkable Accounts of Animal Emotions*, ed. Marc Bekoff (New York: Random House/Discovery Books, 2000): 66-67.
＊41 Helen Fisher, *Why We Love: The Nature and Chemistry of Romantic Love*. (New York: Henry Holt, 2004): 47.（ヘレン・フィッシャー『人はなぜ恋に落ちるのか？――恋と愛情と性欲の脳科学著』、大野晶子訳、ヴィレッジブックス、2007年）。
＊42 "Slimy Leeches Are Devoted Parents," *Daily Times* (Pakistan), March 7, 2004, http://www.dailytimes.com.pk/default.asp?page=story_3-7-2004_pg9_6.
＊43 Naomi Rose, "Giving a Little Latitude," in *The Smile of a Dolphin: Remarkable Accounts of Animal Emotions*, ed. Marc Bekoff (New York: Random House/Discovery Books, 2000): 32.
＊44 Cynthia Moss, "A Passionate Devotion," in *The Smile of a Dolphin: Remarkable Accounts of Animal Emotions*, ed. Marc Bekoff (New York: Random House/Discovery Books, 2000): 134-137.
＊45 C. Hatkoff, *Owen & Mzee: The Story of a Remarkable Friendship* (New York: Scholastic Press, 2006). および "Odd Couple Make Friends in Kenya," *BBC News*, January 6, 2005, http://news.bbc.co.uk/2/hi/africa/4152447.stm.
＊46 Anne Bekoff, "In Sickness and in Health," in *The Smile of a Dolphin: Remarkable Accounts of Animal Emotions*, ed. Marc Bekoff (New York: Random House/Discovery Books, 2000): 61-62.
＊47 Jane Goodall, "Pride Goeth Before a Fall," in *The Smile of a Dolphin: Remarkable Accounts of Animal Emotions*, ed. Marc Bekoff (New York: Random House/Discovery Books, 2000): 166-167.
＊48 Marc Hauser, "If Monkeys Could Blush," in *The Smile of a Dolphin: Remarkable Accounts of Animal Emotions*, ed. Marc Bekoff (New York: Random House/Discovery Books, 2000): 200-201.

＊49　Anne Dagg, "Graceful Aggression," in *The Smile of a Dolphin: Remarkable Accounts of Animal Emotions*, ed. Marc Bekoff (New York: Random House/Discovery Books, 2000): 76-77.

＊50　Roland Anderson, "Seeing Red," in *The Smile of a Dolphin: Remarkable Accounts of Animal Emotions*, ed. Marc Bekoff (New York: Random House/Discovery Books, 2000): 84-87.

＊51　Irene Pepperberg, "Ruffled Feathers," in *The Smile of a Dolphin: Remarkable Accounts of Animal Emotions*, ed. Marc Bekoff (New York: Random House/Discovery Books, 2000): 108-109. アレックスの認知能力に関する興味深い研究については、次の書籍を参照されたい。Irene Pepperberg, *The Alex Studies* (Cambridge, MA: Harvard University Press, 1999).（Irene Maxine Pepperberg『アレックス・スタディ――オウムは人間の言葉を理解するか』、渡辺茂、山崎由美子、遠藤清香訳、共立出版、2003年）。

＊52　動物の兄弟げんかについては、次の書籍を参照されたい。Douglas Mock, *More Than Kin and Less Than Kind: The Evolution of Family Strife* (Cambridge, MA: Harvard University Press, 2004).

＊53　Kay Holekamp and Laura Smale, "A Hostile Homecoming," in *The Smile of a Dolphin: Remarkable Accounts of Animal Emotions*, ed. Marc Bekoff (New York: Random House/Discovery Books, 2000): 118-121.

＊54　Robert Sapolsky, *A Primate's Memoir* (New York: Touchstone Books, 2002): 234.

＊55　"Revenge Attack by Stone-throwing Baboons," *Ananova*, December 9, 2000, http://www.cs.cmu.edu/afs/cs/academic/class/16741-s06/www/baboons09122000.pdf.

＊56　Ron Schusterman, "Pitching a Fit," in *The Smile of a Dolphin: Remarkable Accounts of Animal Emotions*, ed. Marc Bekoff (New York: Random House/Discovery Books, 2000): 106-107.

＊57　Simon Baron-Cohen, *Mindblindness: An Essay on Autism and Theory of Mind* (Cambridge, MA: MIT Press, 1995)（サイモン・バロン＝コーエン『自閉症とマインド・ブラインドネス』（新装版）、長野敬、長畑正道、今野義孝訳、青土社、2002年）; E. A. Tinbergen and N. Tinbergen, "Early Childhood Autism――An Ethological Approach," *Advances in Ethology* 10 (1972).

第4章

本章を書くために参照した資料には、私の前著 *Minding Animals*、*Animal Passions and Beastly Virtues* および論文 "Wild Justice and Fair Play" が含まれる（文献セクション参照）。

　動物のプレイ、道徳、およびそれらのあいだの関係についてのその他の参考文献に

は次のものがある。Marc Bekoff, "Social Play Behaviour, Cooperation, Fairness, Trust and the Evolution of Morality," *Journal of Consciousness Studies* 8, no. 2 (2001): 81-90; Marc Bekoff, "The Evolution of Animal Play, Emotions, and Social Morality: On Science, Theology, Spirituality, Personhood, and Love," *Zygon: Journal of Religion and Science* 36 (2001): 615-655; Marc Bekoff, "Virtuous Nature," *New Scientist* (July 13, 2002): 34-37; Marc Bekoff, "Wild Justice, Cooperation, and Fair Play: Minding Manners, Being Nice, and Feeling Good," in *The Origins and Nature of Sociality*, eds. R. Sussman and A. Chapman (Chicago: Aldine, 2004): 53-79.

動物のプレイに焦点を絞った文献には次のものがある。G. M. Burghardt, *The Genesis of Play*; R. Fagen, *Animal Play Behavior*; T. G. Power, *Play and Exploration in Children and Animals*. 次の研究は興味深い。C. M. Drea and L. G. Frank, "The Social Complexity of Spotted Hyenas," in *Animal Social Complexity: Intelligence, Culture, and Individualized Societies*, eds. F. de Waal and P. L. Tyack (Cambridge, MA: Harvard University Press, 2003): 121-148.

＊1　Charles Darwin, *The Descent of Man and Selection in Relation to Sex* (New York: Random House, 1871/1936): 163.

＊2　George Schaller and G. R. Lowther, "The Relevance of Carnivore Behavior to the Study of Early Hominids," *Southwestern Journal of Anthropology* 25 (1969): 307-341.

＊3　Turgid Rugaas, *On Talking Terms with Dogs: Calming Signals* (Wenatchee, WA: Dogwise Publishing, 2005).

＊4　詳細は次の論文を参照されたい。Jaak Panksepp, *Affective Neuroscience* (New York: Oxford University Press, 1998); Jaak Panksepp, "Beyond a Joke: From Animal Laughter to Human Joy," *Science* 308 (2005), 62-63.

＊5　James Rilling et al., "A Neural Basis for Cooperation," *Neuron* 36 (2002): 395-405.

＊6　B. D. King-Casas et al., "Getting to Know You: Reputation and Trust in a Two-Person Economic Exchange," *Science* 308 (2005): 78. および Matthew Herper, "Measuring Trust with a Brain Scan," *Forbes,* March 31, 2005, http://www.hnl.bcm.tmc.edu/cache/Forbes_com%20Measuring%20Trust%20With%20A%20Brain%20Scan.htm.

＊7　Jessica Flack, L. A. Jeannotte, and F. de Waal, "Play Signaling and the Perception of Social Rules by Juvenile Chimpanzees (*Pan troglodytes*)," *Journal of Comparative Psychology* 118 (2004): 149-159.

＊8　Duncan Watson and D. B. Croft, "Age-related Differences in Playfighting Strategies of Captive Male Red-necked Wallabies (*Macropus rufogriseus banksianus*)," *Ethology* 102 (1996): 336-346.

＊9　Sergio Pellis, "Keeping in Touch: Play Fighting and Social Knowledge," in *The*

Cognitive Animal: Empirical and Theoretical Perspectives on Animal Cognition, eds. M. Bekoff, C. Allen, and G. M. Burghardt (Cambridge, MA: MIT Press, 2002): 421-427.

＊10　この研究の詳細については、次の論文を参照されたい。R. Sussman and P. A. Garber, "Rethinking Sociality: Cooperation and Aggression Among Primates," in *The Origins and Nature of Sociality*, eds. R. Sussman and A. Chapman (Chicago: Aldine, 2004): 161-191; R. Sussman, P. A. Garber, and J Cheverud, "The Importance of Cooperation and Affiliation in the Evolution of Primate Sociality," *American Journal of Physical Anthropology* 128 (2005): 84-97.

＊11　Alexandra Horowitz, "The Behaviors of Theories of Mind, and a Case Study of Dogs at Play" (PhD diss., University of California, San Diego, 2002).

＊12　Frans de Waal, "Honor Among Beasts," *Time* (July 11, 2005): 54-56.

＊13　Michael Tobias and Jane Morrison, *Donkey: The Mystique of Equus asinus* (Tulsa, OK: Council Oak Books, 2006): 42.

＊14　His Holiness the Dalai Lama, "Understanding Our Fundamental Nature," in *Visions of Compassion: Western Scientists and Tibetan Buddhists Examine Human Nature*, eds. R. J. Davidson and A. Harrington (New York: Oxford University Press, 2002): 68.

＊15　Ernst Fehr and S. Gächter, "Altruistic Punishment in Humans," *Nature* 415 (2002): 137-140; Ernst Fehr and B. Rockenbach, "Detrimental Effect of Sanctions on Human Altruism." *Nature* 422 (2003): 137-140; K. Sigmund, E. Fehr, and M. A. Nowak, "The Economics of Fair Play," *Scientific American* 286 (2002): 83-87.

＊16　Felix Warneken and Michael Tomasello, "Altruistic Helping in Human Infants and Young Chimpanzees," *Science* 311 (2006): 1301.

＊17　Robert Sussman and Paul Garber, "Rethinking Sociality: Cooperation and Aggression Among Primates," in *The Origins and Nature of Sociality*, eds. R. Sussman and A. Chapman (Chicago: Aldine, 2004): 161-191; Robert Sussman, Paul Garber, and J. Cheverud, "The Importance of Cooperation and Affiliation in the Evolution of Primate Sociality," *American Journal of Physical Anthropology* 128 (2005): 84-97.

＊18　B. Shouse, "Ecology: Conflict Over Cooperation," *Science* 299 (2003): 644-646.

＊19　Robert Solomon, *A Passion for Justice: Emotions and the Origins of the Social Contract* (Lanham, MD: Rowman & Littlefield Publishers, Inc., 1995): 102.

＊20　David Sloan Wilson, *Darwin's Cathedral: Evolution, Religion, and the Nature of Society* (Chicago: University of Chicago Press, 2002): 195, 212.

第5章

＊1　Claudia Dreifus, "A Conversation with Frans de Waal," *New York Times*,

June 26, 2001, http://select.nytimes.com/gst/abstract.html?res=F40B14FA3B540C758EDDAF0894D9404482.

＊2　次の記事を参照した。B. Carey, "Scientists Bridle at Lecture Plan for Dalai Lama," *New York Times,* October 19, 2005, http://www.nytimes.com/2005/10/19/national/19meditate.html?pagewanted=all.

＊3　William J. Long, *Brier-patch Philosophy by "Peter Rabbit"* (Boston and London: Ginn & Company, 1906): 26.

＊4　Hal Whitehead, *Sperm Whales: Social Evolution in the Oceans* (Chicago: University of Chicago Press, 2004): 370-371.

＊5　Gordon Burghardt, "Animal Awareness: Current Perceptions and Historical Perspective," *American Psychologist* 40 (1985): 905-919.

＊6　Donald Hebb, "Emotion in Man and Animal: An Analysis of the Intuitive Process of Recognition," *Psychological Review* 53 (1946): 88-106.

＊7　Konrad Lorenz, "Ganzheit und Teil in der tierischen und menschlichen Gemeinschaft," 1950. Reprinted in *Studies in Animal and Human Behaviour,* vol. 2, ed. R. Martin (Cambridge, MA: Harvard University Press, 1971): 135.

＊8　Douglas Cruickshank, "Robert Sapolsky," *Salon,* May 14, 2001, http://dir.salon.com/story/people/conv/2001/05/14/sapolsky/index.html?pn=2. および Robert Sapolsky, *A Primate's Memoir* (New York: Touchstone Books, 2002).

＊9　Stephen J. Gould, "A Lover's Quarrel," in *The Smile of a Dolphin: Remarkable Accounts of Animal Emotions,* ed. Marc Bekoff (New York: Random House/Discovery Books, 2000): 13-17.

＊10　Patricia Ward Biederman, "Soft Heart Under Her Thick Skin?" *Los Angeles Times,* November 16, 2004; この記事は、次のウェブサイトで参照できる。www.ethologicalethics.org

＊11　メアリー・ミッジリー（Mary Midgley）は、Animal Sentience のウェブサイトで、2005年9月4日に引用されている。もとの記事は、次のウェブサイトを参照されたい。www.ciwf.org.uk/sentience/.

＊12　Sandra Blakeslee, "Cells That Read Minds," *New York Times,* January 10, 2006, http://www.nytimes.com/2006/01/10/science/10mirr.html?pagewanted=print. および V. Gallese, "Mirror Neurons, from Grasping to Language," *Consciousness Bulletin* (Fall 1998): 3-4.

＊13　Vittorio Gallese and Alvin Goldman, "Mirror Neurons and the Simulation Theory of Mind-reading," *Trends in Cognitive Science* 2 (1998): 493-501.

＊14　Laurie Carr et al., "Neural Mechanisms of Empathy in Humans: A Relay from Neural Systems for Imitation to Limbic Areas," *Proceedings of the National Academy of Sciences* 100 (2003): 5497-5502.

＊15　Chris Frith and Uta Frith, "Interacting Minds――A Biological Basis," *Science*

286 (1999): 1692-1695.

＊16　Hal Markowitz, *Behavioral Enrichment in the Zoo* (New York: Van Reinhold Company, 1982).

＊17　A. P. Melis, B. Hare, and M. Tomasello, "Chimpanzees Recruit the Best Collaborators," *Science* 311 (2006): 1297-1300. および Bob Holmes, "Chimpanzees Show Hints of Higher Human Traits," *New Scientist*, March 2, 2006, http://www.newscientist.com/channel/life/dn8797.html.

＊18　Andrea Heberlein and Ralph Adolphs, "Impaired Spontaneous Anthropomorphizing Despite Intact Perception and Social Knowledge." *Proceedings of the National Academy of Sciences* 101 (2004): 7487-7491.

第6章

＊1　Albert Schweitzer, *Memoirs of Childhood and Youth* (London: Allen and Unwin, 1924).

＊2　この運動の詳細については、次の書籍を参照されたい。R. H. Lutts, *The Nature Fakers* (Golden, CO: Fulcrum Publishers, 1990); R. K. Gould, *At Home in Nature: Modern Homesteading and Spiritual Practice in America* (Berkeley: University of California Press, 2005).

＊3　Paul Ehrlich, *A World of Wounds: Ecologists and the Human Dilemma* (Oldendorf/Luhe, Germany: Ecology Institute, 1997).

＊4　John Webster, "Animal Sentience and Animal Welfare: What Is It to Them and What Is It to Us?" *Applied Animal Behaviour Science* 100 (2006): 1-3. および John Webster, *Animal Welfare: Limping Towards Eden* (Oxford, England: Blackwell Publishing, 2005).

＊5　Henry Pollack, *Uncertain Science...Uncertain World* (New York: Cambridge University Press, 2003): 3.

＊6　L. Carbone, *What Animals Want: Expertise and Advocacy in Laboratory Animal Welfare Policy* (New York: Oxford University Press, 2004).

＊7　Department of Agriculture, "Animal Welfare, Definition of Animal," RIN0579-AB69, Federal Register, vol. 69, no. 108, June 4, 2004, http://a257.g.akamaitech.net/7/257/2422/06jun20041800/edocket.access.gpo.gov/2004/pdf/04-12693.pdf.

＊8　動物保護法の全文については、アメリカ合衆国農務省のウェブサイト（http://www.nal.usda.gov/awic/legislat/usdaleg1.htm）を参照されたい。動物保護法に対する批判的な評価は、次の記事を参照されたい。*AV Magazine*, summer 2006, http://www.aavs.org/publications02.html.

＊9　Ishani Ganguli, "Mice Show Evidence of Empathy," *The Scientist*, June 30, 2006, http://www.the-scientist.com/news/display/23764/#23829. および D. J. Langford et al., "Social Modulation of Pain as Evidence for Empathy in Mice," *Science* 312

(2006): 1967-1970.

＊10　B. Puppe, P. C. Schön, A. Tuchscherer, and G. Manteuffel, "Castration-induced Vocalisation in Domestic Piglets (*Sus scrofa*): Complex and Specific Alterations of the Vocal Quality," *Applied Animal Behaviour Science* 95 (2005): 67-78.

＊11　このテーザー銃の研究については、Stop Animal Tests ウェブサイト（www.stopanimaltests.com/f-taser.asp）を参照した。

＊12　ハリー・ハーロウの研究については、次の書籍を参照されたい。D. Blum, *Love at Goon Park: Harry Harlow and the Science of Affection* (New York: Perseus Publishing, 2002). また、Psi Cafe ウェブサイト（www.psy.pdx.edu/PsiCafe/KeyTheorists/Harlow.htm）も参照のこと。

＊13　Diabetes Research Institute, "Researchers Find Striking Difference Between Human and Animal Insulin-producing Islet Cells," February 2006, http://www.diabetesresearch.org/Newsroom/NewsReleases/DRI/HumanIsletStructure.htm.

＊14　J. Lazarou, B. H. Pomeranz, and P. N. Corey, "Incidence of Adverse Drug Reactions in Hospitalized Patients," *Journal of the American Medical Association* 279 (1998): 1205. 10万6000人は過小見積もりと考えられる。というのも、PCRM（Physicians Committee for Responsible Medicine）のジョン・ピピン（John Pippin）によれば薬の副作用は過小に報告されているからだ。次のウェブサイトも参照されたい。www.AnimalExperimentFacts.info.

＊15　このストーリーの詳細は、マット・ロセル（Matt Rossell）との私信に基づく。

＊16　次の書籍から引用した。Françoise Wemelsfelder, "Animal Boredom: Understanding the Tedium of Confined Lives," in *Mental Health and Well-Being in Animals*, ed. F. McMillan (Oxford, England: Blackwell Publishing, 2005): 79-93. および http://www.psyeta.org/hia/vol8/wemelsfelder.html.

＊17　G. Mason, R. Clubb, N. Latham, and S. Vickery, "Why and How Should We Use Environmental Enrichment to Tackle Stereotyped Behaviour?" *Applied Animal Behaviour Science* (forthcoming).

＊18　Françoise Wemelsfelder, "Animal Boredom: Understanding the Tedium of Confined Lives," in *Mental Health and Well-Being in Animals*, ed. F. McMillan (Oxford, England: Blackwell Publishing, 2005): 79-93. および www.psyeta.org/hia/vol8/wemelsfelder.html.

＊19　Y. Kozorovitskiy et al., "Experience Induces Structural and Biochemical Changes in the Adult Primate Brain," *Proceedings of the National Academy of Sciences* 102 (2005): 17478-17482. および "Bored Monkeys Make for Stupid Monkeys," *New Scientist*, November 19, 2005, http://www.newscientist.com/channel/being-human/brain/mg18825266.100.

＊20　Dorian Houser et al., "Structural and Functional Imagining of Bottlenose Dolphin (*Tursiops truncatus*) Cranial Anatomy," *The Journal of Experimental

Biology 207: 3657-3665.
＊21 James Rilling, J. T. Winslow, and C. D. Kilts, "The Neural Correlates of Mate Competition in Dominant Male Rhesus Macaques," *Biological Psychiatry* 56 (2004): 363-375.
＊22 工場式畜産についての議論は、ゲイル・アイスナー、マイケル・W・フォックス、ピーター・シンガー、ジム・メイソン、マイケル・ポーラン、カレン・デイヴィス、エリック・マーカス、マシュー・スカリー、ジェーン・グドールらの著書に見出せる。ウシ、ブタ、ニワトリ以外の動物も、感覚力の議論に含める必要がある。たとえば、ロブスターや魚類が恐れや痛みを感じるという証拠がある。次の文献を参照されたい。T. Corson, *The Secret Life of Lobsters* (New York: Harper Perennial, 2004); S. Yue, R. D. Moccia, and I. J. H. Duncan, "Investigating Fear in Domestic Rainbow Trout (*Oncorhynchus mykiss*), Using an Avoidance Learning Task," *Applied Animal Behaviour Science* 87 (2004): 343-354; L. U. Sneddon, "The Evidence for Pain in Fish: The Use of Morphine as an Analgesic," *Applied Animal Behaviour Science* 83 (2003): 153-162.
＊23 http://animalliberationfront.com/Pratical/Health/health.htm.
＊24 I. Newkirk, *Making Kind Choices: Everyday Ways to Enhance Your Life Through Earth- and Animal-Friendly Living* (New York: St. Martin's Griffin, 2005): 235.
＊25 バタリーケージに関する情報はEggIndustry.comウェブサイト（www.eggindustry.com）を参照した。
＊26 http://www.upi.com/NewsTrack/view.php?StoryID=20061022-012258-9417r
＊27 Alice Walker, *Living by the Word* (New York: Harcourt Brace Jovanovich Publishers, 1988): 8.
＊28 Lucas Reijinders and Sam Soret, "Quantification of the Environmental Impact of Different Dietary Protein Choices," *Journal of Clinical Nutrition* 78 (2003): 664S-668S.
＊29 James Bartholomew, "Let's Ban All the Methane Machines," *Telegraph*, April 7, 2004, http://www.telegraph.co.uk/opinion/main.jhtml?xml=/opinion/2004/07/04/do0403.xml&sSheet=/opinion/2004/07/04/ixop.html.
＊30 AZA, Executive summary: Visitor Learning in Zoos and Aquariums, http://www.aza.org/ConEd/MIRP/.
＊31 V. Croke, *The Modern Ark: The Story of Zoos: Past, Present, and Future* (New York: Scribner, 1997): 171.
＊32 "Animal Care and Management at the National Zoo: Interim Report"と題する報告。次のウェブサイトで全文を参照できる。www7.nationalacademies.org/ocga/briefings/Animal_Care_Managment_National_Zoo.asp.
＊33 Jeanne McDowell, "Are Zoos Killing Elephants?," *Time*, June 12, 2006, http://

www.time.com/time/health/article/0,8599,1203076,00.html.

＊34　Sarah Kershaw, "A 9,000-Pound Fish Out of Water, Alone in Alaska," *Anchorage Journal*, January 9, 2005, http://www.savewildelephants.com/page/NYTimes010905.pdf. および Blake de Pastino, "Elephant Shuns Jumbo Treadmill," *National Geographic*, May 19, 2006, http://news.nationalgeographic.com/news/2006/05/060519_elephant.html, http://www.friendsofmaggie.net/.

＊35　コヨーテに関する私の研究の概略は、次の論文を参照されたい。Marc Bekoff and M. C. Wells, "Social Behavior and Ecology of Coyotes," *Advances in the Study of Behavior* 16 (1986): 251-338.

＊36　情動エンリッチメントに関する詳細は、次のルイス・ドーフマン（Louis Dorfman）のウェブサイトを参照されたい。http://louisdorfman.com/truth_emotions.php.

＊37　"Dutch Plan Orangutan Web Dating," *BBC News*, August 15, 2006, http://www.news.bbc.co.uk/2/hi/europe/4794279.stm.

＊38　"Mozart Can Ease Suma's Blues," *Classical Music Lounge*, June 30, 2006, http://cmlounge.wordpress.com/2006/07/28/63/.

＊39　Charles Siebert, "An Elephant Crackup?" *New York Times Magazine*, October 8, 2006, http://www.nytimes.com/2006/10/08/magazine/08elephant.html?ex=1161748800&en=c09919d33b237459&ei=5070. および G. A. Bradshaw et al., "Elephant Breakdown," *Nature* 433 (2005): 807.

＊40　この引用は、ジル・ロビンソンとの私信によって得られたものである。

＊41　Y2Y 自然保護イニシアチブの詳細は、次のウェブサイトを参照されたい。www.y2y.net/.

＊42　アメリカ合衆国魚類野生生物局によって殺された動物の数は、Animal Protection Institute の次のウェブサイトを参照した。http://www.bancrueltraps.com/b_pred_killchartFY04.php. 連邦機関による捕食動物コントロールプログラムに関する一般的な情報については、Sinapu のウェブサイト（www.sinapu.org/index.htm）、および米国動物愛護協会の次のウェブサイトを参照されたい。www.hsus.org/wildlife/issues_facing_wildlife/lethal_predator_control_courtesy_of_wildlife_services/.

＊43　"Colorado Quits Killing Elk, Deer to Contain Disease," *Casper Star Tribune*, April 2, 2006, http://www.casperstartribune.net/articles/2006/04/02/news/regional/5e3061a2180d38868725714100749d91.txt.

＊44　"Is Killing Off Big, Bad Wolves the Best Way to Halt Attacks," *Globe and Mail*, April 6, 2006, http://www.theglobeandmail.com/servlet/story/RTGAM.20060406.wxwolves06/BNStory/National/home.

＊45　Kim Murray Berger, "Carnivore-Livestock Conflicts: Effects of Subsidized Predator Control and Economic Correlates on the Sheep Industry," *Conservation Biology* 20 (2006): 751-761.

＊46　ソラスタルジアという用語に関しては、次のウェブサイトを参照されたい。http://home.iprimus.com.au/tammie1/Solastalgia.html.

＊47　Stephen Scharper, *Redeeming the Time* (New York: Theommes Continuum, 1997): 88.

＊48　５つの自由については、家畜福祉協議会のウェブサイト（www.fawc.org.uk/freedoms.htm）を参照されたい。

＊49　http://www.quotedb.com/quotes/2776.

＊50　このことは多くの人々によって指摘されている。それを簡単に行なう方法については、次の書籍を参照されたい。I. Newkirk, *Making Kind Choices: Everyday Ways to Enhance Your Life Through Earth- and Animal-Friendly Living* (New York: St. Martin's Griffin, 2005).

文献表

ここに一覧する書籍や論文には、動物の行動、認知、情動、福祉に関する情報が豊富に含まれている。動物行動学、認知動物行動学、人間と動物の関係に関するさまざまなトピックについての詳細な情報は、以下に含まれる私の編著書 *Encyclopedia of Animal Behavior*、*Encyclopedia of Human-Animal Relationships: A Global Exploration of Our Connections with Animals* を参照されたい。

Alcock, J. *Animal Behavior: An Evolutionary Approach*. 8th ed. Sunderland, MA: Sinauer Associates, Inc., 2005.

Allen, C., and Marc Bekoff. *Species of Mind*. Cambridge, MA: MIT Press, 1997.

Appleby, M. C., J. A. Mench, and B. O. Hughes. *Poultry Behaviour and Welfare*. Cambridge, MA: CABI Publishing, 2004.

Archer, J. *The Nature of Grief: The Evolution and Psychology of Reactions to Loss*. New York: Routledge, 1999.

Balcombe, J. *The Use of Animals in Education: Problems, Alternatives, and Recommendations*. Washington, DC: Humane Society of the United States, 2000.

——. *Pleasurable Kingdom: Animals and the Nature of Feeling Good*. London: Macmillan, 2006.（ジョナサン・バルコム『動物たちの喜びの王国』、土屋晶子訳、インターシフト、2007 年）。

Bateson, P. P. G. “Assessment of Pain in Animals.” *Animal Behaviour* 42 (1991): 827-839.

Becker, Marty. *The Healing Power of Pets*. New York: Hyperion, 2002.（マーティ・ベッカー、ダネル・モートン『ペットの力——知られざるアニマルセラピー』、寺尾まち子訳、主婦の友社、2003 年）。

Bekoff, Marc. “The Communication of Play Intention: Are Play Signals Functional?” *Semiotica* 15 (1975): 231-239.

——. “Social Communication in Canids: Evidence for the Evolution of a Stereotyped Mammalian Display.” *Science* 197 (1977): 1097-1099.

——. “Play Signals as Punctuation: The Structure of Social Play in Canids.” *Behaviour* 132 (1995): 419-429.

——, ed. *Encyclopedia of Animal Rights and Animal Welfare*. Westport, CT: Greenwood Publishing Group, 1998.

——. “Animal Emotions: Exploring Passionate Natures.” *BioScience* 50 (2000): 861-

870.
——. ed. *The Smile of a Dolphin: Remarkable Accounts of Animal Emotions.* New York: Random House/Discovery Books, 2000.
——. *Strolling with Our Kin: Speaking for and Respecting Voiceless Animals.* New York: Lantern Books, 2000.（マーク・ベコフ『動物の命は人間より軽いのか——世界最先端の動物保護思想』、藤原英司、辺見栄訳、中央公論新社、2005年）。
——. *Minding Animals: Awareness, Emotions, and Heart.* New York: Oxford University Press, 2002.
——, ed. *Encyclopedia of Animal Behavior.* Westport, CT: Greenwood Publishing Group, 2004.
——. "Wild Justice and Fair Play: Cooperation, Forgiveness, and Morality in Animals." *Biology & Philosophy* 19 (2004): 489-520.
——. "Animal Emotions and Animal Sentience and Why They Matter: Blending 'Science Sense' with Common Sense, Compassion and Heart." In *Animals, Ethics, and Trade*, edited by J. Turner and J. D'Silva, 27-40. London: Earthscan Publishing, 2006.
——. "Animal Passions and Beastly Virtues: Cognitive Ethology as the Unifying Science for Understanding the Subjective, Emotional, Empathic, and Moral Lives of Animals." *Zygon: Journal of Religion and Science* 41 (2006): 71-104.
——. *Animal Passions and Beastly Virtues: Reflections on Redecorating Nature.* Philadelphia: Temple University Press, 2006.
——. "The Public Lives of Animals: A Troubled Scientist, Pissy Baboons, Angry Elephants, and Happy Hounds." *Journal of Consciousness Studies* 13 (2006): 115-131.
——, ed. *Encyclopedia of Human-Animal Relationships: A Global Exploration of Our Connections with Animals.* Westport, CT: Greenwood Publishing Group, 2007.
Bekoff, Marc, and C. Allen, "Cognitive Ethology: Slayers, Skeptics, and Proponents." In *Anthropomorphism, Anecdote, and Animals,* edited by R. W. Mitchell, N. Thompson, and L. Miles, 313-334, Albany, NY: SUNY Press, 1997.
Bekoff, Marc, C. Allen, and G. M. Burghardt, eds. *The Cognitive Animal: Empirical and Theoretical Perspectives on Animal Cognition.* Cambridge, MA: MIT Press, 2002.
Bekoff, Marc, and J. A. Byers, eds. *Animal Play: Evolutionary, Comparative, and Ecological Perspectives.* New York: Cambridge University Press, 1998.
Bekoff, Marc, and D. Jamieson. "Reflective Ethology, Applied Philosophy, and the Moral Status of Animals." *Perspectives in Ethology* 9 (1991): 1-47.
——. "Ethics and the Study of Carnivores: Doing Science While
Respecting Animals." In *Carnivore Behavior, Ecology, and Evolution,* edited by J.

Gittleman, 16-45. Ithaca, NY: Cornell University Press, 1996.
——, eds. *Readings in Animal Cognition*. Cambridge, MA: MIT Press, 1996.
Bekoff, Marc, and J. Nystrom. "The Other Side of Silence: Rachel Carson's Views of Animals." *Zygon: Journal of Religion and Science* 39 (2004): 861-883.
Berry, T. *The Great Work: Our Way Into the Future*. New York: Bell Tower, 1999.
Burghardt, G. M. "Amending Tinbergen: A Fifth Aim for Ethology." In *Anthropomorphism, Anecdote, and Animals*, edited by R. W. Mitchell, N. Thompson, and L. Miles, 254-276. Albany, NY: SUNY Press, 1997.
——. *The Genesis of Play*. Cambridge, MA: MIT Press, 2005.
Carbone, L. *What Animals Want: Expertise and Advocacy in Laboratory Animal Welfare Policy*. New York: Oxford University Press, 2004.
Cheney, D. L., and R. M. Seyfarth. *How Monkeys See the World: Inside the Mind of Another Species*. Chicago: University of Chicago Press, 1990.
Damasio, Antonio. *The Feeling of What Happens: Body and Emotion in the Making of Consciousness*. New York: Harcourt Brace, 1999.（アントニオ・R・ダマシオ『無意識の脳　自己意識の脳——身体と情動と感情の神秘』、田中三彦訳、講談社、2003年）。
——. *Descartes' Error: Emotion, Reason, and the Human Brain*. New York: Penguin, 2005.（アントニオ・R・ダマシオ『デカルトの誤り——情動、理性、人間の脳』、田中三彦訳、ちくま学芸文庫、2010年）。
Darwin, Charles. *The Descent of Man and Selection in Relation to Sex*. New York: Random House, 1871/1936.（チャールズ・R・ダーウィン『人間の進化と性淘汰』（ダーウィン著作集 1-2）、長谷川眞理子訳、文一総合出版、1999-2000年）。
——. *The Expression of the Emotions in Man and Animals*, 3rd ed. New York: Oxford University Press, 1872/1998.（ダーウィン『人及び動物の表情について』、浜中浜太郎訳、岩波文庫、1931年）。
Davis, K. *The Holocaust and the Henmaid's Tale: A Case for Comparing Atrocities*. New York: Lantern Books, 2005.
Dawkins, M. S. *Through Our Eyes Only?* New York: Oxford University Press, 1992.（マリアン・S・ドーキンズ『動物たちの心の世界』（新装版）、長野敬ほか訳、青土社、2005年）。
de Waal, Frans. *Good-Natured: The Origins of Right and Wrong in Humans and Other Animals*. Cambridge, MA: Harvard University Press, 1996.
——. *Our inner Ape*. New York: Riverhead, 2005.（フランス・ドゥ・ヴァール『あなたのなかのサル——霊長類学者が明かす「人間らしさ」の起源』、藤井留美訳、早川書房、2005年）。
——. *Primates and Philosophers: How Morality Evolved*. Princeton, NJ: Princeton University Press, 2006.

Dodman, Nicholas. *The Cat Who Cried for Help: Attitudes, Emotions, and the Psychology of Cats.* New York: Bantam, 1999.（ニコラス・ドッドマン『うちの猫が変だ！』、池田雅之、伊藤茂訳、草思社、1999 年）。

——. *If Only They Could Speak: Stories About Pets and Their People.* New York: W. W. Norton & Company, 2002.

Drickamer, L. C., S. H. Vessey, and D. Meikle. *Animal Behavior: Mechanisms, Ecology, and Evolution.* Dubuque, IA: William C. Brown Publishers, 2001.

Dugatkin, L. A. *Principles of Animal Behavior.* New York: W. W. Norton & Company, 2003.

Dugatkin, L. A., and Marc Bekoff. "Play and the Evolution of Fairness: A Game Theory Model." *Behavioural Processes* 60 (2003): 209-214.

Duncan, I. J. H. "Poultry Welfare: Science or Subjectivity?" *British Poultry Science* 43 (2002): 643-652.

Dutcher, Jim, and Jamie Dutcher. *Wolves at Our Door.* New York: Pocket Books, 2002.

Eibl-Eibesfeldt, I. *Ethology.* New York: Holt, Rinehart, & Winston, 1975.

Eisner, G. A. *Slaughterhouse.* New York: Prometheus, 1997.

Fagen, R. *Animal Play Behavior.* New York: Oxford University Press, 1981.

Flack, J. C., and Frans de Waal. "Any Animal Whatever: Darwinian Building Blocks of Morality in Monkeys and Apes." *Journal of Consciousness Studies* 7 (2000):1-29.

Fox, M. W. *Behaviour of Wolves, Dogs and Related Canids.* London: Jonathan Cape, 1971.

——. *Eating with Conscience.* Troutdale, OR: New Sage Press, 1997.

——. *Bringing Life to Ethics: Global Bioethics for a Humane Society.* Albany, NY: SUNY Press, 2001.

Fradkin, Philip. *A River No More.* Berkeley: University of California Press, 1996.

Francione, G. L. *Introduction to Animal Rights: Your Child or the Dog?* Philadelphia: Temple University Press, 2000.

Goodall, Jane. *Through a Window.* Boston: Houghton-Mifflin, 1990.（ジェーン・グドール『心の窓——チンパンジーとの三〇年』、高崎和美、高崎浩幸、伊谷純一郎訳、どうぶつ社、1994 年）。

Goodall, Jane, and Marc Bekoff. *The Ten Trusts: What We Must Do to Care for the Animals We Love.* San Francisco: HarperCollins, 2002.

Goodall, Jane, with G. McAvoy and G. Hudson. *Harvest for Hope: A Guide to Mindful Eating.* New York: Warner Books, 2005.（ジェーン・グドール、ゲリー・マカボイ、ゲイル・ハドソン『ジェーン・グドールの健やかな食卓』、柳下貢崇、田中美佳子訳、日経 BP 社、2011 年）。

Greek, C. R., and J. S. Greek. *Sacred Cows and Golden Geese: The Human Cost of*

Experiments on Animals. New York: Theommes Continuum, 2000.

Griffin, Donald R. *The Question of Animal Awareness: Evolutionary Continuity of Mental Experience*. New York: Rockefeller University Press, 1976/1981.（D・R・グリフィン『動物に心があるか——心的体験の進化的連続性』、桑原万寿太郎訳。岩波現代選書、1979 年）。

——. *Animal Minds*. Chicago: University of Chicago Press, 1992.（ドナルド・R・グリフィン『動物の心』、長野敬、宮木陽子訳、青土社、1995 年）。

Hauser, M. *Wild Minds*. New York: Henry Holt, 1999.

Heinrich, B. *Mind of the Raven: Investigations and Adventures with Wolf-Birds*. New York: Cliff Street Books, 1999.

Hinde, R. A. *Why Good Is Good: The Sources of Morality*. New York: Routledge, 2002.

Huffman, M. A. "Current Evidence for Self-Medication in Primates: A Multidisciplinary Perspective." *Yearbook of Physical Anthropology* 40 (1997): 171-200.

——. "Self-medicative Behavior in the African Great Apes: An Evolutionary Perspective into the Origins of Human Traditional Medicine." *BioScience* 51 (2001): 651-661.

Irvine, L. *If You Tame Me: Understanding Our Connections with Animals*. Philadelphia: Temple University Press, 2004.

Jordan, W. *A Cat Named Darwin: Embracing the Bond Between Man and Pet*. Boston: Mariner Books, 2003.

Kropotkin, P. *Mutual Aid: A Factor of Evolution*. Boston: Expanding Horizons Press, 1914.

Lehner, P. N. *Handbook of Ethological Methods*. New York: Cambridge University Press, 1996.

Levinson, Boris. *Pet-oriented Child Psychotherapy*. Springfield, IL: Charles C. Thomas, 1969.（B・M・レビンソン、G・P・マロン改訂『子どものためのアニマルセラピー』、川原隆造監訳、松田和義、東豊監訳、日本評論社、2002 年）。

——. *Pets and Human Development*. Springfield, IL: Charles C. Thomas, 1972.

Leyhausen, Paul. *Cat Behavior: The Predatory and Social Behavior of Domestic and Wild Cats*. New York: Garland, 1978.

Long, W. J. *Brier-patch Philosophy by "Peter Rabbit."* Boston and London: Ginn & Company, 1906.

Lorenz, Konrad Z. *Here I Am —— Where Are You?* New York: Harcourt Brace Jovanovich, 1991.

MacLean, Paul. *The Triune Brain in Evolution: Role in Paleocerebral Functions*. New York: Plenum, 1970.

Marcus, E. *Meat Market: Animals, Ethics, and Money*. Newfield, NY: Brio Press, 2005.

Masson, J. *The Nine Emotional Lives of Cats: A Journey into the Feline Heart*. New York: Ballantine Books, 2004.（ジェフリー・M・マッソン『猫たちの９つの感情』、古草秀子訳、河出書房新社、2004 年）。

Masson, J., and S. McCarthy. *When Elephants Weep: The Emotional Lives of Animals*. New York: Delacorte Press, 1995.（J・M・マッソン、S・マッカーシー『ゾウがすすり泣くとき――動物たちの豊かな感情世界』、小梨直訳、河出文庫、2010 年）。

Matsuzawa, T., ed. *Primate Origins of Human Cognition and Behavior*. New York: Springer, 2001.

McCarthy, S. *Becoming a Tiger: How Baby Animals Learn to Live in the Wild*. New York: Harper Perennial, 2005.

McMillan, F. D., with Kathryn Lance. *Unlocking the Animal Mind: How Your Pet's Feelings Hold the Key to His Health and Happiness*. Emmaus, PA: Rodale, 2004.

Midkiff, K. *The Meat You Eat*. New York: St. Martin's Griffin, 2004.

Mock, D. W., and G. A. Parker. *The Evolution of Sibling Rivalry*. New York: Oxford University Press, 1997.

Moss, C. *Elephant Memories: Thirteen Years in the Life of an Elephant Family*. Chicago: University of Chicago Press, 2000.

Newkirk, I. *Making Kind Choices: Everyday Ways to Enhance Your Life Through Earth- and Animal-Friendly Living*. New York: St. Martin's Griffin, 2005.

Panksepp, Jaak. *Affective Neuroscience*. New York: Oxford University Press, 1998.

――. "Affective Consciousness: Core Emotional Feelings in Animals and Humans." *Consciousness and Cognition* 14 (2005): 30-80.

Peterson, D. *Eating Apes*. Berkeley: University of California Press, 2003.

Pollan, M. *The Omnivore's Dilemma*. New York: Penguin Press, 2006.（マイケル・ポーラン『雑食動物のジレンマ――ある４つの食事の自然史』（上・下）、ラッセル秀子訳、東洋経済新報社、2009 年）。

Poole, Joyce. *Coming of Age with Elephants: A Memoir*. New York: Hyperion, 1996.

Power, T. G. *Play and Exploration in Children and Animals*. Mahwah, NJ: Lawrence Erlbaum Associates, Publishers, 2000.

Preston, S. D., and Frans de Waal. "Empathy: Its Ultimate and Proximate Bases." *Behavioral and Brain Sciences* 25 (2002): 1-72.

Rachels, James. *Created from Animals: The Moral Implications of Darwinism*. New York: Oxford University Press, 1999.（ジェームズ・レイチェルズ『ダーウィンと道徳的個体主義――人間はそんなにえらいのか』、古牧徳生、次田憲和訳、晃洋書房、2010 年）。

Regan, T. *The Case for Animal Rights*. Berkeley: University of California Press, 1983.

——. *Empty Cages: Facing the Challenge of Animal Rights*. New York: Rowman & Littlefield, 2005.

Ridley, M. *The Origins of Virtue: Human Instincts and the Evolution of Cooperation*. New York: Viking, 1996.

Rivera, Michelle. *Hospice Hounds*. New York: Lantern Books, 2001.

Rollin, B. E. *The Unheeded Cry: Animal Consciousness, Animal Pain, and Science*. New York: Oxford University Press, 1989.

Rothenberg, D. *Why Birds Sing: A Journey Through the Mystery of Birdsong*. New York: Basic Books, 2005.

Russell, W. M. S., and R. L. Burch. *The Principles of Humane Experimental Technique*. New York: Hyperion Books, 1959/1999.（W. M. S. Russell, R. L. Burch『人道的な実験技術の原理——動物実験技術の基本原理 3R の原点』、笠井憲雪訳、アドスリー、2012 年）。

Schoen, Allen. *Kindred Spirits: How the Remarkable Bond Between Humans & Animals Can Change the Way We Live*. New York: Broadway Books, 2001.（アレン・M・ショーン『人はなぜ動物に癒されるのか』、太田光明監修、神山京子訳、中央公論新社、2001 年）。

Scully, M. *Dominion: The Power of Man, the Suffering of Animals*. New York: St. Martin's Press, 2002.

Shapiro, Kenneth J. *Animal Models of Human Psychology: Critique of Science, Ethics, and Policy*. Seattle: Hogrefe and Huber, 1998.

Sharpe, Lynne. *Creatures Like Us?* Exeter, UK : Imprint Academic, 2005.

Singer, P. *Animal Liberation*, 2nd ed. New York: New York Review of Books, 1990.（ピーター・シンガー『動物の解放　改訂版』、戸田清訳、人文書院、2011 年）。

Singer, P., and J. Mason. *The Way We Eat: Why Our Food Choices Matter*. Emmaus, PA: Rodale, 2006.

Skutch, A. *The Minds of Birds*. College Station, TX: Texas A&M University Press, 1996.

Sneddon, L. U. "The Evidence for Pain in Fish: The Use of Morphine as an Analgesic." *Applied-Animal Behaviour Science* 83 (2003): 153-162.

Sober, E., and D. S. Wilson. *Unto Others: The Evolution and Psychology of Unselfish Behavior*. Cambridge, MA: Harvard University Press, 1998.

Solisti, K., and M. Tobias, eds. *Kinship with Animals*. Tulsa, OK: Council Oaks Books, 2006.

Tinbergen N. *The Study of Instinct*. New York: Oxford University Press, 1951/1989.（N・ティンベルヘン『本能の研究』、永野為武訳、三共出版、1957 年）。

——. *The Herring Gull's World*. New York: Anchor Books, 1967.（N・ティンバーゲン『セグロカモメの世界』、安部直哉、斎藤隆史訳、思索社、1975 年）。
——. *Curious Naturalists*. Amherst, MA: University of Massachusetts Press, 1984.（N・ティンバーゲン『好奇心の旺盛なナチュラリスト』、安部直哉、斎藤隆史訳、思索社、1980 年）。
Turner, J., and J. D'Silva, eds. *Animals, Ethics, and Trade*. London: EarthScan Publishing, 2006.
von Frisch, K. *The Dance Language and Orientation of Bees*. Cambridge, MA: Harvard University Press, 1993.
Waldau, P., and K. Patton, eds. *A Communion of Subjects: Animals in Religion, Science, and Ethics*. New York: Columbia University Press, 2006.
Walton, Stuart. *A Natural History of Human Emotions*. New York: Grove Press, 2006.
Webster, J. *Animal Welfare: Limping Towards Eden*. Oxford, UK: Blackwell Publishing, 2005.
Weil, Z. *Above All, Be Kind: Raising a Humane Child in Challenging Times*. British Columbia, Canada: New Society Publishers, 2003.
Wilson, David Sloan. *Darwin's Cathedral: Evolution, Religion, and the Nature of Society*. Chicago: University of Chicago Press, 2002.

著者について

マーク・ベコフは、コロラド大学ボルダー校名誉教授、動物行動学会（Animal Behavior Society）フェロー、元グッゲンハイム・フェローである。動物行動研究への長年にわたる貢献により、2000年に動物行動学会から模範賞（Exemplar Award）を受賞している。またジェーン・グドールが主催する「ルーツ＆シューツ（Roots & Shoots）」プログラムの地域協力者の一人で、ジェーン・グドール研究所の倫理委員会のメンバーでもある。2000年には、ジェーン・グドールと共同でEETA（Ethologists for the Ethical Treatment of Animal/Citizens for Responsible Animal Behavior Studies）という組織を創設している（http://www.ethologicalethics.org/）。また、Fauna Sanctuary、Cougar Fund、Skyline Sanctuary and Education Centerで役員を、Animal Defenders、Laboratory Primate Advocacy Groupおよび保護団体SINAPUで顧問を務め、Rational Animal、Animalisti Italiani、Fundacion Altarribaの名誉役員でもある。彼はまた、国際プログラムScience and the Spiritual Quest II、アメリカ科学振興協会（AAAS）Dialogue on Science, Ethics, and Religionに参加している。2005年には、子ども、高齢者、受刑者との協業に対して、Bank One Faculty Community Service Awardを受賞した。

おもな研究領域は、動物の行動、認知動物行動学（動物の心の研究）、行動生態学であり、また動物保護についても数多くの記事を書いている。200本以上の論文と数々の著書があり、記事は『タイム』誌、『ライフ』誌、『USニューズ＆ワールド・レポート』誌、『ニューヨーク・タイムズ』紙、『ニュー・サイエンティスト』誌、『BBCワイルド・ライフ』誌、*Orion*誌、『サイエンティフィックアメリカン』誌、*Ranger Rick*誌、『ナショナルジオグラフィックキッズ』誌などに掲載され、CNN、NPR、BBC、FOXの各ネットワークで、また、「グッド・モーニング・アメリカ」、*Nature*、*48Hours*、*GEO Natur*、ディスカバリーチャンネルの*Why Dogs Smile and Chimpanzees Cry*、アニマルプラネットの*The Power of Play*、ナショナルジオグラフィック協会の*Hunting in America*および*Play: The Nature of the Game*などの番組でも紹介されている。

趣味は、サイクリング、スキー、ハイキング、およびスパイ小説を読むことである。一九八六年には、ツール・デュ・ヴァル自転車レース（Master's/age-graded Tour de Franceとも呼ばれる）の年齢別競技で優勝した初めてのアメリカ人になった。現在はコロラド州ボルダーの郊外に住む。また、彼のウェブサイトは、http://www.literati.net/authors/marc-bekoff/である。

THE EMOTIONAL LIVES OF ANIMALS:
A Leading Scientist Explores Animal Joy, Sorrow, and Empathy, and Why They Matter
by Marc Bekoff

動物たちの心の科学
仲間に尽くすイヌ、喪に服すゾウ、フェアプレイ精神を貫くコヨーテ

2014年3月10日　第1刷印刷
2014年3月17日　第1刷発行

著者　マーク・ベコフ
訳者　高橋 洋

発行者　清水一人
発行所　青土社
東京都千代田区神田神保町1-29　市瀬ビル　〒101-0051
電話　03-3291-9831（編集）　03-3294-7829（営業）
振替　00190-7-192955

印刷所　ディグ（本文）
方英社（カバー・表紙・扉）
製本所　小泉製本

装幀　岡 孝治

ISBN978-4-7917-6765-6　Printed in Japan